BESTSELLER

John Grisham (Jonesboro, Arkansas, 1955) se dedicaba a la abogacía antes de convertirse en un escritor de éxito mundial. Desde que publicó su primera novela, en 1988, ha escrito casi una por año. Todas sin excepción han sido best sellers y algunas incluso han resultado ser una magnífica fuente de guiones cinematográficos. Entre sus obras destacan los siguientes títulos, todos ellos convertidos también en películas de éxito: *Tiempo de matar, La tapadera, El informe Pelícano, El cliente, Cámara de gas, Legítima defensa* y *El jurado*. Sus últimas obras publicadas en España son: *La apelación, El profesional, La trampa, La confesión, Los litigantes, El estafador, La herencia, El secreto de Gray Mountain, Un abogado rebelde, El soborno, El caso Fitzgerald, La gran estafa, Los guardianes* y las novelas juveniles de la serie Theodore Boone. John Grisham vive con su esposa y sus dos hijos, a caballo entre Virginia y Mississippi.

Para más información, visita la página web del autor:
www.jgrisham.com

También puedes seguir a John Grisham en Facebook:
John Grisham

Biblioteca

JOHN GRISHAM

Una Navidad diferente

Traducción de
Juan Manuel Ibeas

DEBOLS!LLO

Título original: *Skipping Christmas*

Tercera edición: febrero de 2015
Cuarta reimpresión: noviembre de 2020

Travessera de Gràcia, 47-49. 08021 Barcelona

Printed in Spain – Impreso en España

ISBN: 978-84-9908-081-9 (vol. 412/15)
Depósito legal: B-10.448-2010

Compuesto en Lozano Faisano, S. L.

Impreso en Prodigitalk, S. L.

P880819

Penguin
Random House
Grupo Editorial

1

La puerta de embarque estaba repleta de viajeros cansados, la mayoría de pie y arrimados a las paredes porque la escasa dotación de sillas de plástico estaba ocupada desde hacía mucho tiempo. Cada avión que llegaba y partía daba cabida a por lo menos ochenta pasajeros, pero en la puerta solo había asientos para unas pocas docenas.

Parecía que había mil personas esperando el vuelo de las siete de la tarde a Miami. Estaban abrigados y muy cargados, y en general, después de luchar contra el tráfico, los controles y las multitudes de los pasillos, estaban domesticados. Era el domingo después de Acción de Gracias, uno de los días más ajetreados del año para los viajes aéreos, y mientras empujaban y eran empujados hacia el interior de la puerta muchos se preguntaban, y no por primera vez, por qué habían elegido precisamente ese día para volar.

Las razones eran variadas e irrelevantes por el momento. Algunos procuraban sonreír. Otros intentaban leer, pero las apreturas y el ruido lo ponían difícil. Otros se limitaban a mirar fijamente el suelo y esperar. Cerca, un Santa Claus negro y flaco hacía sonar una molesta campana y entonaba monótonas salutaciones navideñas.

Una pequeña familia se acercó, y al ver el número de la puerta y la multitud, se detuvo en el extremo de la sala y comenzó su espera. La hija era joven y guapa. Se llamaba Blair y era evidente que salía de viaje. Sus padres no. Los tres miraron a la muchedumbre y también ellos, en aquel momento, se preguntaron por qué habían elegido aquel día para viajar.

Las lágrimas ya habían terminado, al menos la mayor parte. Blair tenía veintitrés años, recién salida de la universidad con un buen expediente, pero no preparada para ejercer una carrera. Un amigo de la facultad estaba en África con el Peace Corps, y esto había inspirado a Blair a dedicar los dos años siguientes a ayudar a los demás. Su destino era el este de Perú, donde enseñaría a leer a niños analfabetos. Viviría en una chabola sin agua corriente, ni electricidad ni teléfono, y estaba ansiosa por emprender su viaje.

El vuelo la llevaría a Miami, después a Lima, y a continuación tres días en autobús por las montañas, rumbo a otro siglo. Por primera vez en su joven y protegida vida, Blair iba a pasar las Navidades lejos de casa. Su madre le agarró la mano y procuró ser fuerte.

Todos los adioses se habían dicho ya. Por centésima vez se le había preguntado: «¿Estás segura de que esto es lo que quieres?».

Luther, su padre, estudió a la multitud con una mueca de desprecio en la cara. Qué locura, se dijo. Las había dejado en la acera y después había conducido varios kilómetros para aparcar en un solar próximo. Un autobús abarrotado lo había llevado de vuelta a la zona de salidas, y desde allí se había abierto paso a codazos con su mujer y su hija hasta esa puerta. Le entristecía que Blair se marchara y detestaba la hormigueante horda de gente. Estaba de mal humor. Las cosas iban a ponerse peor para Luther.

Los atormentados agentes de la puerta cobraron vida y los pasajeros avanzaron centímetro a centímetro. Se dio el primer aviso, el que pedía que pasaran los que necesitaban más tiempo y los de primera clase. Los codazos y empujones ascendieron al siguiente nivel.

—Será mejor que vayas —dijo Luther a su hija, su única hija.

Se abrazaron de nuevo y reprimieron las lágrimas. Blair sonrió y dijo:

—El año pasará volando. Estaré en casa las próximas Navidades.

Nora, la madre, se mordió el labio, asintió y la besó una vez más.

—Por favor, ten cuidado —dijo porque no podía evitar decirlo.

—Estaré bien.

La soltaron y contemplaron impotentes cómo se unía a una larga cola y se iba paso a paso, lejos de ellos, lejos de casa y de la seguridad y de todo lo que conocía. Mientras entregaba la tarjeta de embarque, Blair se volvió y les sonrió por última vez.

—Bueno —dijo Luther—. Ya basta. Le va a ir bien.

A Nora no se le ocurrió nada que decir mientras veía desaparecer a su hija. Dieron media vuelta y se unieron al tráfico peatonal, una larga y apretada marcha por los corredores, pasando ante el Santa Claus con la molesta campana, ante las tiendecitas repletas de gente.

Estaba lloviendo cuando salieron de la terminal y encontraron la cola para el autobús que iba al aparcamiento, y estaba diluviando cuando el autobús atravesó chapoteando el aparcamiento y los dejó a doscientos metros de su coche. A Luther le costó siete dólares liberarse junto con su automóvil de la codicia de las autoridades del aeropuerto.

Cuando rodaban hacia la ciudad, Nora habló por fin.

—¿Estará bien? —preguntó.

Luther había oído esa pregunta tantas veces que su respuesta fue un gruñido automático.

—Claro.

—¿De verdad lo crees?

—Claro.

Lo creyera o no, ¿qué importaba ya? Ella se había ido, ya no podían detenerla.

Agarró el volante con las dos manos y maldijo en silencio el lento tráfico que tenía delante. No sabía si su mujer estaba llorando o no. Luther solo quería llegar a casa y secarse, sentarse delante del fuego y leer una revista.

Estaban a tres kilómetros de casa cuando Nora declaró:

—Necesito unas cuantas cosas de la tienda.

—Está lloviendo —dijo él.

—Pero las necesito.

—¿No pueden esperar?

—Tú puedes quedarte en el coche. Solo tardaré un minuto. Ve a Chip's. Hoy está abierto.

Así que Luther puso rumbo a Chip's, un sitio que odiaba no solo por sus escandalosos precios y su huraño personal, sino también por su inaccesible situación. Seguía lloviendo, claro, y Nora no podía elegir un Kroger, donde podías aparcar y echar una carrerita. No, quería ir a Chip's, donde aparcabas y tenías que hacer una caminata.

Solo que algunas veces ni siquiera se podía aparcar. El aparcamiento estaba lleno. Las salidas de incendios estaban repletas. Buscó en vano durante diez minutos, hasta que Nora dijo:

—Déjame en la acera. —Estaba frustrada por la incapacidad de él para encontrar un buen sitio.

Él condujo hasta un espacio cerca de una hamburguesería y pidió:

—Hazme una lista.

—Iré yo —dijo ella, pero solo fingiendo protestar. Luther haría la caminata bajo la lluvia, y los dos lo sabían.

—Hazme una lista.

—Solo chocolate blanco y una libra de pistachos —dijo ella, aliviada.

—¿Eso es todo?

—Sí, y asegúrate de que el chocolate es Logan's, una tableta de una libra, y los pistachos de Lance Brothers.

—¿Y eso no puede esperar?

—No, Luther, no puede esperar. Voy a hacer el postre para la comida de mañana. Si no quieres ir, cállate y voy yo.

Luther cerró la puerta de golpe. Al tercer paso se metió en un hoyo. El agua fría le mojó el tobillo derecho y se introdujo rápidamente en su zapato. Se quedó inmóvil un segundo, cogiendo aliento, y después siguió andando de puntillas, intentando desesperadamente localizar otros charcos mientras esquivaba el tráfico.

Chip's creía en los precios altos y los alquileres baratos. Estaba en una callejuela lateral, que no se veía desde ningún sitio. A su lado había una tienda de vinos regentada por un europeo de origen incierto, que aseguraba ser francés pero del que se rumoreaba que era húngaro. Su inglés era espantoso, aunque había aprendido el idioma de estafar en el precio. Probablemente lo había aprendido de su vecino Chip's. De hecho, todas las tiendas del Distrito, que era como se conocía la zona, se esforzaban por ser exclusivas.

Y todas las tiendas estaban llenas. Otro Santa repicaba estruendosamente con la misma campana a la puerta de la tienda de quesos. «Rudolph, el reno de la nariz colorada» atronaba desde un altavoz oculto sobre la acera delante de Mother Earth, donde seguro que la estomagante clientela todavía llevaba sandalias. Luther odiaba la tienda y se negaba a poner el pie en ella. Nora compraba allí especias orgánicas, por razones que él nunca había sabido con seguridad. El viejo mexicano que llevaba el estanco estaba colgando alegremente lucecitas en su escaparate, con la pipa insertada en la comisura de la boca y dejando detrás de él un rastro de humo, después de haber rociado falsa nieve sobre un falso árbol.

Cabía la posibilidad de que nevara de verdad aquella noche. Los compradores no perdían tiempo, entrando y saliendo a toda prisa de las tiendas. El calcetín del pie derecho de Luther ya se había congelado hasta el tobillo.

En Chip's no había cestas cerca de las cajas, lo que, por supuesto, era mala señal. Luther no necesitaba cesta, pero aquello significaba que el local estaba repleto. Los pasillos eran estrechos y los productos estaban colocados de tal manera que nada tenía sentido. Hubiera lo que hubiese en tu lista, tenías que cruzar la tienda media docena de veces para completarla.

Un reponedor se afanaba en un expositor de bombones navideños. Junto a la carnicería, un letrero exigía que todos los buenos clientes encargaran inmediatamente sus pavos de Navidad. ¡Habían llegado nuevos vinos de Navidad! ¡Y jamones de Navidad!

Qué despilfarro, pensó Luther. ¿Por qué comemos tanto y bebemos tanto para celebrar el nacimiento de Cristo? Encontró los pistachos cerca del pan. Curiosamente, aquello tenía sentido en Chip's. El chocolate blanco no se veía por ninguna parte cerca de la sección de panadería, así que Luther maldijo entre dientes y recorrió penosamente los pasillos, mirándolo todo. Un carro de supermercado le empujó. Nada de disculpas, nadie se fijó. Del techo llegaba una voz diciendo: «Que Dios os guarde, felices señores», como si aquello fuera a consolar a Luther. Igual habría dado que dijera: «Frosty, el Muñeco de Nieve».

Dos pasillos más allá, junto a un surtido de arroces de todo el mundo, había un estante de chocolates para hornear. Al acercarse, reconoció una tableta de una libra de Logan's. Un paso más y desapareció de pronto, arrebatada de sus manos por una mujer de aspecto duro que ni le vio. El pequeño espacio reservado para el Logan's estaba vacío, y en el siguiente y desesperado momento Luther no vio ni una pizca de chocolate blanco. Montones de tabletas negras y con leche, pero nada blanco.

La cola rápida, por supuesto, era más lenta que las otras

dos. Los escandalosos precios de Chip's obligaban a sus clientes a comprar en pequeñas cantidades, pero esto no alteraba la rapidez con que iban y venían. Cada artículo era levantado, inspeccionado e introducido a mano en la registradora por un desagradable cajero. Que te cobraran de más era cuestión de suerte, aunque por Navidades los sisadores cobraban vida con sonrisas y entusiasmo y una asombrosa memoria para los nombres de los clientes. Era la época de las propinas, otro desagradable aspecto de la Navidad que Luther detestaba.

Más de seis pavos por una libra de pistachos. Se apartó bruscamente del joven y ansioso sisador, y por un momento pensó que tendría que pegarle para evitar que metiera sus preciosos pistachos en otra bolsa. Se los metió en el bolsillo del abrigo y salió rápidamente de la tienda.

Una muchedumbre se había congregado para ver al viejo mexicano decorar el escaparate de su estanco. Estaba enchufando pequeños robots que avanzaban con dificultad por la falsa nieve, y aquello provocaba un gran entusiasmo en la multitud. Luther se vio obligado a bajar de la acera, y al hacerlo pisó donde no debía. El pie izquierdo se hundió en doce centímetros de fango de nieve. Se quedó inmóvil durante una fracción de segundo, aspirando bocanadas de aire frío, maldiciendo al viejo mexicano, a sus robots, a sus admiradores y a los malditos pistachos. Tiró del pie hacia arriba y se salpicó de agua sucia la pernera del pantalón, y allí, en el borde de la acera con los dos pies helados y la campana repicando y «Santa Claus viene a la ciudad» atronando por el altavoz y la acera taponada por juerguistas, Luther empezó a odiar la Navidad.

El agua lo había calado hasta los dedos de los pies cuando llegó al coche.

—No hay chocolate blanco —siseó a Nora mientras reptaba detrás del volante.

Ella estaba secándose los ojos.

—¿Qué pasa ahora? —preguntó él.

—Acabo de hablar con Blair.

—¿Qué? ¿Cómo? ¿Está bien?

—Ha llamado desde el avión. Está bien. —Nora estaba mordiéndose el labio, intentando recuperarse.

¿Cuánto cuesta exactamente llamar a casa desde diez mil metros de altura?, se preguntó Luther. Había visto teléfonos en los aviones. Cualquier tarjeta de crédito servía. Blair tenía una que él le había dado, de esas cuyas facturas se envían a mamá y a papá. Desde un teléfono móvil allá arriba hasta un teléfono móvil aquí abajo, unos diez pavos.

¿Y para qué? Estoy bien, mamá. No te he visto desde hace casi una hora. Cómo nos queremos. Cuánto nos echamos de menos. Tengo que colgar, mamá.

El motor estaba en marcha aunque Luther no recordaba haberlo encendido.

—¿Te olvidaste del chocolate blanco? —preguntó Nora, ya recuperada.

—No, no me olvidé. No tenían.

—¿Le preguntaste a Rex?

—¿Quién es Rex?

—El carnicero.

—No, Nora, por alguna razón no se me ocurrió preguntarle al carnicero si tenía algo de chocolate blanco escondido entre sus chuletas y sus hígados.

Ella tiró del picaporte de la puerta con toda la frustración que pudo conjurar.

—Lo necesito. Gracias por nada. —Y desapareció.

Ojalá te metas en agua helada, gruñó Luther para sí mismo. Echó pestes y murmuró otras inconveniencias. Orientó la calefacción hacia el suelo para descongelarse los pies, y después miró a la muchedumbre que entraba y salía de la hamburguesería. En las calles próximas a la suya, el tráfico estaba atascado.

Qué estupendo sería saltarse la Navidad, empezó a pensar. Un chasqueo de los dedos y ya es 2 de enero. Ni árbol, ni compras, ni regalos sin sentido, ni aguinaldos, ni alborotos y envoltorios, ni tráfico y multitudes, ni pasteles de fruta, ni licores y jamones que nadie necesitaba, ni «Rudolph» ni «Frosty», ni fiesta en la oficina, ni dinero despilfarrado. La lista fue alargándose. Se arrimó al volante, sonriendo ya, esperando el calor de abajo, soñando placenteramente con escapar.

Ella estaba de vuelta, con una bolsita marrón que arrojó a su lado, con el cuidado justo para no romper el chocolate pero haciéndole saber que ella lo había encontrado y él no.

—Todo el mundo sabe que hay que preguntar —dijo cortante mientras tiraba del cinturón de seguridad.

—Curiosa manera de vender —murmuró Luther, dando marcha atrás—. Esconderlo junto a la carnicería y poner muy poco, para que la gente lo pida a gritos. Seguro que cuesta más caro si está escondido.

—Ay, calla, Luther.

—¿Tienes los pies mojados?

—No. ¿Y tú?

—No.

—Entonces ¿por qué lo preguntas?

—Me preocupaba, nada más.

—¿Crees que la niña estará bien?

—Está en un avión. Acabas de hablar con ella.

—Quiero decir allá abajo, en la selva.

—Deja de preocuparte, ¿vale? El Peace Corps no la mandaría a un sitio peligroso.

—No será lo mismo.

—¿El qué?

—La Navidad.

Desde luego que no, estuvo a punto de decir Luther. Curiosamente, estaba sonriendo mientras se abría paso a través del tráfico.

tiró a un rincón y caminó de puntillas por el pasillo hasta la cocina para tomar un vaso de agua. Después, una taza de descafeinado.

Una hora más tarde estaba en su despacho del sótano, ante su escritorio con los archivadores abiertos, el ordenador zumbando, los folios en la impresora; se sentía como un investigador en busca de pruebas. Luther era contable fiscal de profesión, así que sus registros eran meticulosos. La evidencia se hizo más patente y él se olvidó de dormir.

Un año antes, la familia de Luther Krank se había gastado seis mil cien dólares en Navidad. ¡Seis mil cien dólares! Seis mil cien dólares en decoraciones, luces, flores, un Frosty nuevo y un abeto canadiense. Seis mil cien dólares en jamones, pavos, almendras, quesos de bola y dulces que nadie se comió. Seis mil cien dólares en vinos y licores y puros para la oficina. Seis mil cien dólares en pasteles de frutas de los bomberos y de la brigada de rescate, y en calendarios de la asociación de policía. Seis mil cien dólares en Luther, para un jersey de cachemir que odiaba en secreto y una chaqueta de sport que se había puesto dos veces y una cartera de piel de avestruz carísima y feísima y cuyo tacto, francamente, no le gustaba. En Nora, para un vestido que se puso para la cena de Navidad de la empresa y para su propio jersey de cachemir, que no había sido visto desde que lo desenvolvió, y un fular de diseño que le encantaba, seis mil cien dólares. Seis mil cien dólares en Blair para un abrigo, guantes y zapatos, y un walkman para hacer footing y, por supuesto, el último y más delgado teléfono móvil del mercado… Seis mil cien dólares en regalos menores para un selecto puñado de parientes lejanos, sobre todo por parte de

Nora… Seis mil cien dólares en tarjetas de Navidad de una papelería a tres portales de Chip's, en el Distrito, donde todos los precios eran el doble. Seis mil cien para la fiesta, una juerga anual de Nochebuena en casa de los Krank.

¿Y qué quedaba de todo aquello? Puede que uno o dos artículos útiles, pero no gran cosa… ¡Seis mil cien!

Luther fue contando los daños con deleite, como si los hubiera infligido algún otro. Toda la evidencia iba haciéndose cada vez más patente y convirtiéndose en un argumento muy sólido.

Titubeó un poco al final, donde había dejado las cifras de caridad. Donaciones a la iglesia, al reparto de juguetes, al albergue para gente sin hogar y al banco de alimentos. Pero pasó a toda prisa por la caridad y llegó de nuevo a la espantosa conclusión: seis mil cien dólares en las Navidades.

«El nueve por ciento de mis ingresos brutos», dijo con incredulidad. «Seis mil cien. En efectivo. Nada menos que seis mil cien no deducibles.»

En su angustia, Luther hizo algo que casi nunca hacía. Echó mano a la botella de coñac que había en el cajón de su escritorio y se metió unos cuantos tragos.

Durmió de tres a seis, y le rugió a la vida durante la ducha. Nora quería quejarse durante el café y los cereales, pero Luther no entró al trapo. Leyó el periódico, se rió con las tiras cómicas, le aseguró dos veces que Blair se lo estaba pasando en grande, y después la besó y salió disparado hacia la oficina; era un hombre con una misión.

La agencia de viajes estaba en el vestíbulo del edificio de Luther. Pasaba por delante por lo menos dos veces al día, pero casi nunca miraba el escaparate con sus anuncios de playas y montañas y barcos de vela y pirámides. Estaba allí para los que tenían la suerte de viajar. Luther nunca había entrado, en realidad nunca había pensado en ello. Sus vacaciones consistían en cinco días en la playa, en la urbanización de un amigo, y con la cantidad de trabajo que tenía podían considerarse afortunados por tener eso.

Se escabulló poco después de las diez. Bajó por la escalera para no tener que dar explicaciones, y entró como un rayo por la puerta de Regency Travel. Biff estaba esperándolo.

Biff tenía una enorme flor en el pelo y un bronceado lustroso, y parecía que se había dejado caer por la tienda solo unas horas, entre playa y playa. Su atractiva sonrisa detuvo a Luther en seco, y sus primeras palabras lo dejaron sin habla.

—Usted necesita un crucero —dijo.

—¿Cómo lo sabe? —consiguió musitar Luther. Ella había extendido la mano, cogiendo la suya, estrechándola, conduciéndolo a su larga mesa, donde lo colocó a un lado mientras ella se instalaba en el otro. Piernas largas y bronceadas, observó Luther. Piernas de playa.

—Diciembre es la mejor época del año para un crucero —empezó ella, y Luther se rindió.

Los folletos llegaron en torrente. Biff los desplegó por la mesa bajo los ojos soñadores de Luther.

—¿Trabaja usted en el edificio? —preguntó ella, progresando hábilmente hacia la cuestión del dinero.

—En Wiley & Beck, sexta planta —dijo Luther sin apartar los ojos de los palacios flotantes y las playas infinitas.

—¿Créditos para fianzas? —dijo ella. Luther titubeó un poco.

—No. Contabilidad fiscal.

—Perdón —dijo ella, reprendiéndose a sí misma. Esa piel pálida, esas ojeras, el típico traje azul Oxford con la mala imitación de corbata de estudiante. Debería haberse dado cuenta. En fin. Buscó folletos aún más relucientes—. Creo que no vienen por aquí muchos de su empresa.

—No tenemos muchas vacaciones. Montones de trabajo. Me gusta este de aquí.

—Magnífica elección.

Se pusieron de acuerdo en el *Island Princess*, un navío gigantesco y relucientemente nuevo, con camarotes para tres mil, cuatro piscinas, tres casinos, comida a todas horas, ocho paradas en el Caribe, y la lista seguía y seguía. Luther se marchó con una pila de folletos y corrió de vuelta a su oficina, seis pisos más arriba.

La emboscada estaba cuidadosamente planeada. Primero, se quedaría a trabajar hasta tarde, lo cual no tenía nada de raro, pero en cualquier caso prepararía la escena para la noche. Tenía suerte con el tiempo porque todavía era malo. Se hacía difícil asumir el espíritu de la época cuando el cielo estaba cargado y gris. Era mucho más fácil soñar con diez lujosos días al sol.

Si Nora no estaba preocupándose por Blair, él la pondría en marcha sin problemas. Simplemente, mencionaría alguna noticia espeluznante acerca de un nuevo virus, o tal vez una matanza en una aldea colombiana, y eso la dispararía. Alejaría sus pensamientos de las alegrías navideñas. No va a ser lo mismo sin Blair, ¿verdad?

¿Por qué no nos tomamos un descanso este año? Escondámonos. Escapemos. Pasémoslo bien.

Estaba claro que Nora estaba en la selva. Lo abrazó y sonrió y procuró ocultar el hecho de que había estado llorando. El día le había ido razonablemente bien. Había sobrevivido a la comida de mujeres y pasado dos horas en la clínica infantil, con una parte de sí misma haciendo trabajo de voluntariado.

Mientras ella calentaba la pasta, Luther introdujo subrepticiamente un CD de reggae en el equipo de música, pero no le dio al *play*. La sincronización era fundamental.

Charlaron acerca de Blair, y no llevaban mucho tiempo cenando cuando Nora abrió la puerta de una patada:

—Qué distintas van a ser estas Navidades, ¿verdad, Luther?

—Sí que lo serán —dijo él con tristeza, tragando con esfuerzo—. Nada será igual.

—Por primera vez en veintitrés años, no estará aquí.

—Hasta podría ser deprimente. Hay mucha depresión en Navidad, ya sabes. —Luther tragó deprisa y su tenedor quedó inmóvil.

—Me gustaría olvidarme de ello —dijo Nora, y sus palabras se desvanecieron al final.

Luther se encogió y orientó su oído bueno en dirección a ella.

—¿Qué pasa? —preguntó Nora.

—¡Bueno! —dijo él dramáticamente, empujando hacia delante su plato—. Ahora que lo mencionas, hay algo que quiero discutir contigo.

—Termínate la pasta.

—Ya he terminado —declaró él, poniéndose en pie de un salto. Su cartera estaba a unos pasos de distancia y se lanzó al ataque.

—Luther, ¿qué haces?

—Espera.

Estaba de pie ante ella, al otro lado de la mesa, con papeles en las dos manos.

—Esta es mi idea —dijo con orgullo—. Y es estupenda.

—¿Y por qué estoy nerviosa?

Luther desplegó una gran hoja de papel y empezó a señalar.

—Esto, querida, es lo que hicimos las pasadas Navidades. Seis mil cien dólares gastamos en las Navidades. Seis mil cien dólares.

—Ya te he oído la primera vez.

—Y sacamos bien poco de ello. La inmensa mayoría se fue por el desagüe. Desperdiciado. Y eso, por supuesto, no incluye mi tiempo, tu tiempo, el tráfico, el estrés, la preocupación, la cháchara, la mala voluntad, el sueño perdido... todas las cosas maravillosas que metemos en la época de fiestas.

—¿Adónde quieres ir a parar?

—Gracias por preguntar. —Luther dejó caer los papeles y, con la rapidez de un mago, le presentó a su mujer el *Island Princess*. Los folletos cubrieron la mesa—. ¿Adónde va esto, querida? Va al Caribe. Diez días de lujo total en el *Island Princess*, el barco de crucero más fantástico del mundo. Las Bahamas, Jamaica, Gran Caimán... Ah, espera un momento.

Corrió hacia el salón, le dio al botón de *play*, aguardó a

que sonaran las primeras notas, ajustó el volumen y volvió corriendo a la cocina, donde Nora estaba inspeccionando un folleto.

—¿Qué es eso? —preguntó ella.

—Reggae, lo que oyen por allí. A ver, ¿por dónde iba?

—Ibas saltando de isla en isla.

—Exacto, haremos submarinismo en Gran Caimán, windsurf en Jamaica, nos tumbaremos en las playas. Diez días, Nora, diez fabulosos días.

—Tendré que perder algo de peso.

—Nos pondremos a dieta los dos. ¿Qué me dices?

—¿Dónde está la trampa?

—La trampa es sencilla. No celebramos la Navidad. Nos ahorramos el dinero, nos lo gastamos en nosotros por una vez. Ni diez céntimos en comida que no vamos a comer, ni en ropa que no vamos a ponernos, ni en regalos que nadie necesita. Ni un miserable céntimo. Es un boicot, Nora, un boicot total a la Navidad.

—Suena espantoso.

—No, es maravilloso. Y es solo por un año. Tomémonos un descanso. Blair no está. Volverá el año que viene y podremos meternos de nuevo en el caos de la Navidad, si eso es lo que quieres. Venga, Nora, por favor. Pasamos de la Navidad, ahorramos dinero y vamos a chapotear en el Caribe diez días.

—¿Cuánto costará?

—Tres mil pavos.

—O sea, ¿que ahorramos dinero?

—Sin la menor duda.

—¿Cuándo salimos?

—El día de Navidad, a mediodía.

Se miraron uno a otro durante un largo rato.

El trato se cerró en la cama, con el televisor encendido pero sin sonido, con revistas esparcidas sobre las sábanas, todas sin leer, con los folletos no muy lejos, sobre la mesilla de noche. Luther estaba examinando una revista financiera pero veía muy poco. Nora tenía un libro de bolsillo, pero no pasaba las páginas.

El punto conflictivo habían sido los donativos de caridad. Nora se había negado a suprimirlos, o a pasar de ellos, como Luther insistía en decir. Había accedido de mala gana a no comprar regalos. Incluso había llorado al pensar que no tendrían árbol, aunque Luther había argumentado implacablemente que todas las Navidades se chillaban uno a otro cuando decoraban el maldito trasto. ¿Y no poner un Frosty en el tejado? ¿Cuando todas las casas de la calle tendrían uno? Lo que trajo a colación la cuestión del ridículo público. ¿No los criticarían por prescindir de la Navidad?

«¿Y qué?», había replicado Luther una y otra vez. Sus amigos y vecinos podían desaprobarlo al principio, pero en secreto se consumirían de envidia. «Diez días en el Caribe, Nora», seguía diciéndole. Sus amigos y vecinos no se reirían cuando estuvieran quitando nieve con la pala, ¿a que no? «Ningún espectador se burlará cuando estemos tostándonos al sol y ellos se estén hinchando a pavo y guarniciones. Nada de sonrisitas cuando volvamos delgados y bronceados y sin ningún miedo de abrir el buzón.»

Nora casi nunca le había visto tan decidido. Destruyó

metódicamente todos los argumentos de ella, uno a uno, hasta que no quedó nada más que los donativos de caridad.

—¿Vas a dejar que unos piojosos seiscientos pavos se interpongan entre nosotros y un crucero por el Caribe? —preguntó Luther con mucho sarcasmo.

—No, eso lo haces tú.

Y, con eso, volvieron a sus rincones e intentaron leer.

Pero tras una tensa hora de silencio, Luther tiró los papeles, se quitó los calcetines de lana y dijo:

—Está bien. Los mismos donativos que el año pasado, pero ni un céntimo más.

Ella dejó su novela y se le tiró al cuello. Se abrazaron, se besaron y después ella se apropió de los folletos.

3

Aunque el plan era de Luther, Nora fue la primera que se sometió a prueba. La llamada llegó el martes por la mañana, de un tipo fastidioso que no le caía muy bien. Se llamaba Aubie y era el propietario de La Pipa de Calabaza, una papelería pequeña y pretenciosa con un nombre tonto y precios absurdos.

Tras los saludos de rigor, Aubie fue directo al grano:

—Estaba un poco preocupado por sus tarjetas de Navidad, señora Krank —dijo, procurando parecer muy desasosegado.

—¿Por qué le preocupan? —preguntó Nora. No le gustaba verse acosada por un tendero cascarrabias que apenas le hablaba el resto del año.

—Bueno, usted elige siempre las tarjetas más bonitas, señora Krank, y tenemos que encargarlas ahora. —La adulación se le daba mal. A todos los clientes les decía la misma frase.

Según la auditoría de Luther, en las pasadas Navidades La Pipa de Calabaza había recolectado de los Krank 318 dólares en tarjetas, y en aquel momento parecía algo extravagante. No era uno de los mayores gastos, pero ¿qué se sacaba de ello? Luther se negaba rotundamente a ayudar con los sobres y los sellos, y salía pitando cada vez que ella le preguntaba si a Fulano de Tal había que incluirlo o borrarlo de la lista. También se negaba a echar ni una sola mirada a ninguna de las tarjetas que recibían, y Nora tenía que reconocer que cada vez disfrutaba menos al recibirlas.

Así que se irguió y dijo:

—No vamos a encargar tarjetas este año.

Casi podía oír a Luther aplaudiendo.

—¿Cómo dice?

—Ya me ha oído.

—¿Puedo preguntarle por qué no?

—Claro que no puede.

Para lo cual, Aubie no tenía respuesta. Tartamudeó algo y después colgó, y por un momento Nora se llenó de orgullo. Vaciló un poco, sin embargo, al pensar en las preguntas que se plantearían. Su hermana, la mujer del párroco, las amigas de la junta de alfabetización, su tía la de la urbanización para jubilados... todas preguntarían, en algún momento, qué había pasado con las tarjetas de Navidad.

«¿Se perdieron en el correo?» «¿No hubo tiempo?»

No. Les diría la verdad. «Este año no tenemos Navidades. Blair se ha marchado y nosotros nos vamos de crucero. Y si tanto has echado de menos las tarjetas, el año que viene te enviaré dos.»

Reanimándose con otra taza de café, Nora se preguntó cuántas personas de su lista se darían cuenta. Ella recibía varias docenas cada año, cada vez menos, tuvo que reconocer, y no llevaba un registro de quién se tomaba la molestia y quién no. En el torbellino de las Navidades, ¿quién tenía tiempo de preocuparse por una tarjeta que no había llegado?

Lo que la llevó a otra de las quejas favoritas de Luther acerca de las fiestas: las reservas de emergencia. Nora guardaba una provisión extra para poder responder inmediatamente a una tarjeta inesperada. Todos los años recibía dos o tres de completos desconocidos y unas cuantas de gente que nunca había mandado tarjetas antes, y en menos de 24 horas ella enviaba volando las felicitaciones de los Krank en respuesta, siempre con su típica nota escrita a mano de que la alegría y la paz sean contigo.

Por supuesto, era una tontería.

Decidió que no iba a echar de menos todo el ritual de las tarjetas de Navidad. No echaría de menos el tedio de escribir todos aquellos mensajitos, y poner a mano la dirección en unos cien sobres, y pegarles sellos, y echarlos al correo, y preocuparse por quién se le habría olvidado. No echaría de menos el volumen que añadían al correo diario, ni la prisa por abrir los sobres, ni las tópicas felicitaciones de gente con tanta prisa como ella.

Liberada de las tarjetas de Navidad, Nora llamó a Luther para darse un poco de ánimo. Estaba en su despacho. Le contó el enfrentamiento con Aubie. «Ese gusano», murmuró Luther.

—Enhorabuena —dijo cuando ella terminó.

—No fue nada difícil —se ufanó Nora.

—Piensa en todas esas playas, querida, esperándonos allí.

—¿Qué has comido? —preguntó ella.

—Nada. Todavía estoy en trescientas calorías.

—Yo también.

Cuando Nora colgó, Luther volvió a la tarea que tenía entre manos. No estaba masticando números ni forcejeando con regulaciones fiscales, como de costumbre, sino redactando una carta a sus colegas. Su primera carta de Navidad. En ella, explicaba cuidadosa y artísticamente a la oficina por qué no iba a participar en los rituales navideños y que, por otra parte, agradecería que todos lo dejaran en paz. No compraría regalos y tampoco aceptaría ninguno. Gracias de todos modos. No asistiría a la cena de etiqueta de la empresa, ni estaría presente en el follón de borrachos al que llamaban fiesta de la oficina. No quería el coñac y el jamón que ciertos clientes regalaban a todos los peces gordos cada año. No estaba enfadado y no le gritaría «¡Paparruchas!» a todo el que le deseara «Feliz Navidad».

Simplemente, pasaba de la Navidad. Y en lugar de eso, se iba de crucero.

Pasó la mayor parte de la tranquila mañana con su carta y la mecanografió él mismo. Dejaría una copia en cada mesa de Wiley & Beck.

La gravedad de su plan golpeó con fuerza al día siguiente, justo después de cenar. Era totalmente posible disfrutar de la Navidad sin tarjetas, sin fiestas y comilonas, sin regalos innecesarios, sin un montón de cosas que por alguna razón habían ido amontonándose sobre el nacimiento de Cristo. Pero ¿cómo podía uno pasar las fiestas sin un árbol?

Si podían eludir el árbol, Luther sabía que lo conseguirían.

Estaban recogiendo la mesa, aunque había muy poco

que recoger. El pollo al horno y el queso bajo en grasa permitían limpiar con facilidad, y Luther todavía tenía hambre cuando sonó el timbre.

—Voy yo —dijo.

A través de la ventana delantera del salón vio el camión en la calle y supo al instante que los siguientes quince minutos no serían agradables. Abrió la puerta y se encontró con tres rostros sonrientes: dos jovenzuelos elegantemente ataviados con toda la parafernalia de los boy scouts, y detrás de ellos el señor Scanlon, jefe permanente de los exploradores del vecindario. También él iba de uniforme.

—Buenas tardes —dijo Luther a los chicos.

—Hola, señor Krank. Soy Randy Bogan —dijo el más alto de los dos—. Estamos vendiendo árboles de Navidad otra vez este año.

—Tenemos el suyo en el camión —dijo el más bajo.

—El año pasado se quedó un abeto azul canadiense —dijo el señor Scanlon.

Luther miró más allá de ellos, hacia el largo camión de caja baja cubierto por dos pulcras hileras de árboles. Un pequeño ejército de niños exploradores se afanaba en descargarlos y arrastrarlos hacia los vecinos de Luther.

—¿Cuánto cuesta? —preguntó Luther.

—Noventa dólares —respondió Randy—. Hemos tenido que subir un poco el precio porque nuestro proveedor lo ha subido también.

«El año pasado costaba ochenta», estuvo a punto de decir Luther, pero contuvo la lengua.

Nora se materializó de la nada y de pronto tenía la barbilla apoyada en su hombro.

—Qué monos son —susurró.

«¿Los chicos o los árboles?», estuvo a punto de preguntar Luther. ¿Por qué no podía Nora quedarse en la cocina y dejarle pasar solo ese trago?

Con una enorme sonrisa falsa, Luther dijo:

—Lo siento, pero este año no compramos árbol.

Caras en blanco. Caras de desconcierto. Caras tristes. Un gemido por encima de su hombro cuando el dolor alcanzó a Nora.

Mirando a los chicos, con su mujer respirándole literalmente en el cuello, Luther Krank supo que aquel era el momento crucial. Flaquea aquí, y las compuertas de la presa se abrirán. Compra un árbol, luego decóralo y después date cuenta de que ningún árbol parece completo sin un montón de regalos apilados debajo.

Aguanta, muchacho, se apremió Luther a sí mismo, mientras su mujer susurraba «Ay, querido».

—Calla —siseó por la comisura de la boca.

Los chicos estaban mirando al señor Krank como si este les hubiera quitado las últimas monedas de sus bolsillos.

—Sentimos haber tenido que subir el precio —dijo Randy con voz triste.

—Sacamos menos que el año pasado por cada árbol —añadió servicialmente el señor Scanlon.

—No es por el precio, chicos —dijo Luther con otra falsa sonrisa—. No vamos a celebrar la Navidad este año. Estaremos fuera de la ciudad. No necesitamos árbol. Gracias de todos modos.

Los chicos empezaron a mirarse los pies, como hacen los niños lastimados, y el señor Scanlon parecía desolado.

Nora aportó otro lastimero gemido, y Luther, casi presa del pánico, tuvo una idea brillante.

—¿No vais todos los años al Oeste, para una gran acampada? Nuevo México, en agosto, creo recordar de una octavilla.

Los había pillado desprevenidos, pero los tres asintieron lentamente.

—Bien, este es el trato. Paso del árbol, pero volved por aquí en verano y os daré cien pavos para vuestro viaje.

Randy Bogan consiguió decir «Gracias», pero solo porque se sentía obligado. De repente querían irse.

Luther cerró despacio la puerta ante ellos y esperó. Permanecieron allí, en los escalones de la entrada, un par de segundos o tres, y después se retiraron por el sendero, mirando por encima del hombro.

Cuando llegaron al camión, le contaron la extravagante noticia a otro adulto de uniforme. Otros la oyeron y, al poco rato, toda la actividad alrededor del camión se había detenido, y los exploradores y sus mandos se habían agrupado al final del sendero de los Krank, mirando la casa de los Krank como si hubiera extraterrestres en el tejado.

Luther se agachó y miró desde detrás de las cortinas abiertas del salón.

—¿Qué están haciendo? —susurró Nora detrás de él, agachándose también.

—Solo mirando, creo.

—Tal vez deberíamos haber comprado uno.

—No.

—No tenemos por qué ponerlo, ya sabes.

—Calla.

—Lo dejamos en el patio de atrás.

—Basta ya, Nora. ¿Por qué hablas en voz baja? Estamos en nuestra casa.

—Por la misma razón por la que tú te escondes detrás de las cortinas.

Luther se puso en pie y corrió las cortinas. Los scouts siguieron su camino, con su camión avanzando poco a poco por la calle mientras se repartían los árboles por Hemlock Street.

Luther encendió la chimenea y se instaló en su butaca para leer un poco, asuntos de impuestos. Estaba solo porque Nora estaba haciendo pucheros, una actividad pasajera que terminaría por la mañana.

Si se había enfrentado a los boy scouts, ¿a quién iba a temer? Vendrían más enfrentamientos, sin duda, y esa era precisamente una de las razones por las que a Luther no le gustaba la Navidad. Todo el mundo vendía algo, hacía colectas, buscaba una propina, un aguinaldo, algo, algo, algo. Se indignó de nuevo y se sintió bien.

Una hora después, salió discretamente de la casa. Caminó sin rumbo fijo por la acera que bordeaba Hemlock. El aire era frío y ligero. A los pocos pasos se detuvo ante el buzón de los Becker y miró la ventana delantera de su salón, a poca distancia. Estaban decorando su árbol, y casi podía oír el parloteo. Ned Becker procuraba mantener el equilibrio en el peldaño superior de una pequeña escalera y colocaba luces mientras Jude Becker daba un paso atrás y chillaba instrucciones. La madre de Jude, un fenómeno sin edad aún más aterradora que la propia Jude, participaba también en la refriega. Daba instrucciones al pobre Ned, y sus instrucciones contradecían directamente las de Jude. «Cuélgalas aquí, cuélgalas allá. En esa rama, no en esa otra rama. ¿Es que no ves ese hueco? ¿Adónde demonios miras?» Mientras tanto, Rocky Becker, su pasota hijo de veinte años, estaba sentado en el sofá con una lata de algo, riéndose de ellos y dando consejos que al parecer no eran escuchados. Aun así, era el único que reía.

La escena hizo sonreír a Luther. Confirmaba su sabiduría, lo hacía sentirse orgulloso de su decisión de evitar todo aquel jaleo.

Siguió andando, llenando sus altivos pulmones de aire fresco, feliz porque por primera vez en su vida estaba eliminando el temible ritual de engalanar el árbol. Dos puertas más abajo, se detuvo y observó al clan Frohmeyer atacando un abeto de dos metros y medio. El señor Frohmeyer había aportado dos hijos al matrimonio. La señora Frohmeyer había llegado con tres suyos y después habían engendrado otro, lo que hacía un total de seis, el mayor de ellos de solo doce años. Toda la camada estaba colgando adornos y oropeles. En algún momento de diciembre, Luther siempre oía a una vecina comentar lo feo que era el árbol de los Frohmeyer. Como si a él le importara.

Feo o no, lo cierto era que se lo estaban pasando en grande revistiéndolo con adornos gastados. Frohmeyer era investigador en la universidad, se rumoreaba que ganaba ciento diez mil dólares al año, pero con seis chicos no había para muchas ostentaciones. Su árbol sería el último en quitarse después de Año Nuevo.

Luther dio media vuelta y se dirigió a casa. En la de los Becker, Ned estaba en el sofá con una bolsa de hielo en el hombro, Jude revoloteando sobre él, reprendiéndolo con el dedo. La escalera estaba caída de lado, inspeccionada por la suegra. Fuera cual fuese la causa de la caída, no cabía duda de que toda la culpa caería sobre el pobre Ned.

«Estupendo», pensó Luther. «Ahora tendré que escuchar detalles de otra dolencia durante los próximos cuatro meses.» Pensándolo bien, Ned ya se había caído antes de aquella escalera, cinco o seis años atrás. Se estrelló contra el árbol y derribó todo el tinglado. Rompió los adornos favoritos de Jude. Ella estuvo lamentándose un año entero.

Qué locura, pensó Luther.

4

Nora y dos amigas acababan de conseguir una mesa en su cafetería favorita, una gasolinera reformada que todavía vendía gasolina pero que además ofrecía sándwiches de diseño y café con leche a tres dólares la taza. Como siempre, estaba repleta a mediodía, y las largas colas atraían a más gente aún.

Era un almuerzo de trabajo. Candi y Merry eran los otros dos miembros de un comité encargado de una subasta para el museo de arte. Alrededor de casi todas las demás mesas se tramaban con gran esfuerzo planes similares para recaudar fondos.

Sonó el teléfono móvil de Nora. Esta se disculpó por haber olvidado desconectarlo, pero Merry insistió en que contestara a la llamada. Por toda la cafetería zumbaban los teléfonos móviles.

Era otra vez Aubie, y al principio Nora no se explicaba cómo habría conseguido su número. Aunque ella se lo daba rutinariamente a cualquiera.

—Es Aubie, de La Pipa de Calabaza —explicó a Candi y a Merry, conectándolas así con la conversación.

Ellas asintieron con desinterés. Era de suponer que todo el mundo conocía a Aubie, de La Pipa de Calabaza. Tenía los precios más altos del mundo, de modo que si comprabas allí podías superar a cualquiera en cuestión de papelería.

—Olvidamos hablar de sus invitaciones para fiestas —dijo Aubie, y a Nora se le heló el corazón. También ella había olvidado las invitaciones, y desde luego no quería hablar de ellas delante de Merry y de Candi.

—Ah, sí —dijo. Merry había entablado conversación con una voluntaria de la mesa de al lado. Candi estaba escrutando la cafetería para ver quién no estaba.

—Tampoco las necesitaremos —dijo Nora.

—¿No dan fiesta? —preguntó Aubie, con palabras cargadas de curiosidad.

—Sí, este año no hay fiesta.

—Bueno, yo...

—Gracias por llamar, Aubie —dijo ella rápidamente y en voz baja, y desconectó el teléfono.

—¿Qué es lo que no necesitarás? —preguntó Merry, cortando repentinamente su otra conversación y centrándose en Nora.

—¿Este año no hay fiesta? —preguntó Candi, fijando sus ojos en Nora como un radar—. ¿Qué pasa?

«Aprieta los dientes», se dijo Nora. «Piensa en playas, agua salada y cálida, diez días en el paraíso.»

—Ah, eso —dijo—. Este año nos vamos de crucero en lugar de celebrar la Navidad. Blair no está, como sabéis. Necesitamos un descanso.

La cafetería había quedado en silencio de repente, o al menos eso le pareció a Nora. Candi y Merry fruncieron el entrecejo mientras asimilaban la noticia. Nora, con las palabras de Luther resonando en sus oídos, pasó a la ofensiva.

—Diez días en el *Island Princess*, un crucero de lujo. Bahamas, Jamaica, Gran Caimán... Ya he perdido un kilo —dijo con animosa presunción.

—¿No celebráis la Navidad? —dijo Merry, sin poder creérselo.

—Eso he dicho —respondió Nora. Merry era rápida juzgando, y hacía años que Nora había aprendido a responder a sus dentelladas. Se puso rígida, lista para una palabra cortante.

—¿Cómo puede no celebrarse la Navidad? —preguntó Merry.

—Pasando de ella —replicó Nora, como si eso lo explicara todo.

—Suena maravilloso —dijo Candi.

—Y entonces ¿qué hacemos en Nochebuena? —preguntó Merry.

—Ya se te ocurrirá algo —respondió Nora—. Hay otras fiestas.

—Pero ninguna como la tuya.

—Qué amable.

—¿Cuándo os vais? —preguntó Candi, soñando ya con playas y con no tener un montón de cuñados durante una semana.

—El día de Navidad, a mediodía.

Era una fecha rara para partir, había pensado después de que Luther contratara el crucero. «Si no vamos a celebrar la Navidad, querido, ¿por qué no nos vamos unos días antes?», había dicho ella. «Evitar la Nochebuena, ya que estamos en ello. Eliminar todo el barullo y la locura.» «¿Y si Blair llama el día de Nochebuena?», había replicado él. Y además, Biff había rebajado trescientos noventa y nueve dólares del total porque muy poca gente viajaba el día 25. De todos modos, estaba contratado y pagado, y nada iba a cambiar.

—Entonces ¿por qué no hacer la fiesta de Nochebuena de todas maneras? —preguntó Merry, presionando, temiendo sentirse obligada a ejercer de anfitriona sustituta.

—Porque no queremos, Merry. Nos tomamos un descanso y ya está. Este año libramos. Nada de Navidades. Nada. Ni árbol, ni pavo, ni regalos. Nos quedamos el dinero y nos vamos de crucero. ¿Te enteras?

—Me entero —dijo Candi—. Ojalá Norman hiciera algo así. Pero ni se le ocurriría, temería perderse sus veintitantas partidas de bolos. Qué envidia me das, Nora.

Y con eso, Merry le dio un bocado a su sándwich de aguacate. Masticó y empezó a pasear la mirada por la cafetería. Nora sabía exactamente lo que estaba pensando. ¿A quién puedo contárselo primero? ¡Los Krank pasan de la Navidad! ¡Ni fiesta ni árbol! Nada más que dinero en los bolsillos, para dilapidarlo en un crucero.

También Nora comió, sabiendo que en cuanto saliera por la puerta empezaría a rugir el chismorreo por la cafetería y que antes de la cena todo su mundo sabría la noticia. ¿Y qué?, se dijo. Era inevitable, ¿por qué darle tanta importancia? La mitad se pondría del lado de Candi, consumiéndose de envidia y soñando a coro con Nora. La otra mitad estaría de parte de Merry, aparentemente escandalizada por la simple idea de prescindir de la Navidad, pero incluso en ese grupo de críticos Nora sospechaba que muchos envidiarían en secreto su crucero.

Y de todos modos, ¿a quién iba a importarle dentro de tres meses?

Después de unos cuantos bocados dejaron a un lado sus sándwiches y sacaron el papeleo. No se dijo ni una palabra más sobre la Navidad, al menos en presencia de Nora. De camino a casa, telefoneó a Luther con la noticia de su última victoria.

Luther estaba inflexible. Su secretaria, una triple divorciada cincuentona llamada Dox, había dicho en tono de burla que suponía que ahora tendría que comprarse ella misma un perfume barato, ya que Santa no vendría ese año. Le habían llamado Scrooge dos veces, y cada vez el nombre había ido seguido de una risita. Qué original, había pensado Luther.

Más tarde, aquella misma mañana, Yank Slader había entrado corriendo en el despacho de Luther como si lo persiguieran clientes furiosos. Echando antes una mirada afuera, cerró la puerta y tomó asiento.

—Eres un genio, tío —dijo casi en un susurro.

Yank era especialista en amortizaciones, tenía miedo hasta de su sombra y le encantaban las jornadas de dieciocho horas porque su mujer era una camorrista.

—Claro que lo soy —dijo Luther.

—Anoche volví a casa tarde, mandé a mi mujer a la cama y después hice lo mismo que tú. Eché las cuentas, repasé los informes bancarios, los movimientos, y me salieron casi siete mil. ¿A cuánto ascendían tus daños?

—Poco más de seis mil.

—Increíble, y ni una puñetera cosa que luzca. Me pone enfermo.

—Vete de crucero —dijo Luther, sabiendo perfectamente que la mujer de Yank jamás accedería a semejante locura. Para ella, las fiestas empezaban a finales de octubre e iban cobrando impulso constantemente hasta el big bang, un maratón de diez horas el día de Navidad, con cuatro comidas y la casa repleta.

—«Vete de crucero» —murmuró Yank—. No se me ocurre nada peor. Encerrado en un barco con Abigail durante diez días. La tiraría por la borda.

Y nadie te lo reprocharía, pensó Luther.

—Siete mil pavos —repitió Yank para sí mismo.

—Ridículo, ¿verdad? —dijo Luther, y por un momento los dos contables lamentaron en silencio la pérdida de un dinero tan duramente ganado.

—¿Es vuestro primer crucero? —preguntó Yank.

—Sí.

—Yo nunca he ido a uno. Me pregunto si hay gente sin pareja a bordo.

—Seguro que sí. En ningún sitio dice que tengas que llevar pareja. ¿Estás pensando ir solo, Yank?

—Pensando no, Luther, soñando.

Se dejó llevar, con sus ojos hundidos dejando traslucir un atisbo de esperanza, de diversión, de algo que Luther nunca había visto antes en Yank. Por un momento abandonó el despacho y sus pensamientos corrieron alocadamente a través del Caribe, maravillosamente solo sin Abigail.

Luther guardó silencio mientras su compañero soñaba, pero pronto los sueños se volvieron ligeramente embarazosos. Por suerte sonó el teléfono, y Yank volvió con una sacudida al duro mundo de las tablas de amortización y las esposas pendencieras. Se puso en pie y parecía que iba a marcharse sin decir palabra. Pero en la puerta dijo:

—Eres mi héroe, Luther.

Vic Frohmeyer había oído el rumor al señor Scanlon, el jefe de exploradores, y a la sobrina de su mujer, que compartía piso con una chica que trabajaba a tiempo parcial para Aubie, el de La Pipa de Calabaza, y a un colega de la universidad a cuyo hermano le hacía la declaración de impuestos alguien de Wiley & Beck. Tres fuentes diferentes, así que el rumor tenía que ser verdad. Krank podía hacer lo que le diera la maldita gana, pero Vic y el resto de Hemlock no lo aceptarían por las buenas.

Frohmeyer era el jefe de barrio extraoficial de Hemlock. Su cómodo trabajo en la universidad le dejaba tiempo para entrometerse, y su ilimitada energía lo mantenía en la calle organizando toda clase de actividades. Con seis niños, su casa era el centro de contactos indiscutido. Las puertas estaban siempre abiertas, siempre había un juego en marcha. Como consecuencia, su césped se veía ajado, aunque él se esforzaba mucho con sus macizos de flores.

Era Frohmeyer quien hacía acudir a los candidatos de Hemlock a barbacoas en su patio trasero, para arrancarles promesas electorales. Era Frohmeyer quien hacía circular las peticiones, llamando de puerta en puerta, ganando voluntades contra la anexión o a favor de los bonos escolares, o contra una nueva carretera de cuatro carriles situada a kilómetros de distancia, o a favor de un nuevo sistema de alcantarillado. Era Frohmeyer el que llamaba al servicio de recogida de basuras cuando no se recogía la de un vecino, y como se trataba de Frohmeyer, la cuestión se resolvía con rapidez. Un perro extraviado, y una llamada de Vic Frohmeyer hacía que los de la Protectora de Animales se presentaran en el acto. Un chico perdido, melenudo y tatuado, y con sospechoso aspecto de delincuente, y Frohmeyer conseguía que la policía lo detuviera y le hiciera preguntas.

Alguien de Hemlock ingresaba en el hospital, y los Frohmeyer organizaban visitas, comidas y hasta cuidado del jardín. Una muerte en Hemlock, y se encargaban de las flores para el entierro y las visitas al cementerio. Un vecino necesitado podía acudir a los Frohmeyer para lo que fuera.

Los Frosty habían sido idea de Vic, aunque lo había visto en una urbanización de Evanston y por lo tanto no podía atribuirse todo el mérito. El mismo Frosty en todos los tejados de Hemlock, un Frosty de dos metros y medio con una sonrisa boba alrededor de una pipa de mazorca de maíz y una chistera negra y gruesos michelines en la cintura, todo blanco y reluciente gracias a una bombilla de doscientos watios atornillada en una cavidad cerca del colon de Frosty. Los Frosty de Hemlock habían hecho su debut seis años atrás y habían sido un éxito aplastante: veintiuna casas a un lado, veintiuna al otro, la calle flanqueada por dos perfectas hileras de Frosty a doce metros de altura. Una foto en color con un bonito artículo había salido en primera plana. Los noticiarios de televisión habían hecho reportajes en directo.

Al año siguiente, la calle Stanton al sur y la calle Ackerman al norte se habían subido al carro con renos Rudolph y campanas de plata, respectivamente, y un comité de parques y actividades recreativas, por discreta sugerencia de Frohmeyer, empezó a otorgar premios a las mejores decoraciones navideñas del vecindario.

Dos años atrás se produjo la catástrofe, cuando un vendaval se llevó volando casi todos los Frosty hasta el distrito de al lado, pero Frohmeyer reunió a los vecinos, y el año anterior una nueva versión de Frosty, algo más bajita, había decorado Hemlock. Solo dos casas no habían participado.

Cada año, Frohmeyer decidía la fecha en que se resucitaban los Frosty, y tras oír los rumores acerca de Krank y su crucero, decidió hacerlo inmediatamente. Después de cenar escribió una notificación a los vecinos, algo que hacía por lo menos dos veces al mes, imprimió cuarenta y una copias y envió a sus seis chicos a repartirlas por todas las casas de Hemlock. Decía: «Vecino: Mañana será un día despejado, un excelente momento para que Frosty vuelva a la vida. Llama a Marty o a Judd o a mí si necesitas ayuda. Vic Frohmeyer».

Luther recogió la notificación de manos de un niño sonriente.

—¿Quién era? —preguntó Nora desde la cocina.

—Frohmeyer.

—¿Sobre qué?

—Frosty.

Nora entró despacio en el salón, donde Luther sostenía la cuartilla de papel como si fuera una citación para hacer de jurado. Intercambiaron una mirada temerosa, y Luther empezó a negar con la cabeza muy despacio.

5

Un Frosty de Hemlock constaba de cuatro piezas: una gran base redonda, una bola de nieve algo más pequeña que encajaba con la base, después un tronco y luego la cabeza con la cara y la chistera. Cada sección podía meterse en la anterior, más grande, de modo que el almacenamiento durante los otros once meses del año no era demasiado complicado. Dado que costaban 82,99 dólares más los portes, todos guardaban sus Frosty con mucho cuidado.

Y los desembalaban con mucho deleite. Durante toda la tarde pudieron verse partes de Frosty en casi todos los garajes de Hemlock, mientras se quitaba el polvo a los muñecos de nieve y se comprobaba que estuvieran todas las piezas. Después se montaban, como auténticos muñecos de nieve, una sección encima de otra, hasta que medían 2,10 metros de altura y estaban listos para subir al tejado.

La instalación no era tarea sencilla. Se necesitaba una escalera y una cuerda, más la ayuda de un vecino. Primero había que subir al tejado con una cuerda alrededor de la cintura; después se izaba a Frosty, que estaba hecho de plástico duro y pesaba unos dieciocho kilos, con mucho cuidado para no rayarlo con las tejas de pizarra. Cuando Frosty llegaba a la cima, se ataba a la chimenea con una correa de lona que había inventado el propio Vic Frohmeyer. Se atornillaba una bombilla de doscientos watios en las entrañas de Frosty y se dejaba caer un cable alargador por la parte de atrás del tejado.

Wes Trogdon era un agente de seguros que había llamado al trabajo diciendo que estaba enfermo para poder sorprender a sus hijos al ser el primero que instalaba su Frosty. Él y su esposa, Trish, limpiaron el muñeco de nieve después de comer y, bajo la atenta supervisión de la mujer, Wes escaló, lo izó y lo ajustó hasta completar la tarea. A doce metros de altura, con unas vistas espléndidas, miró Hemlock de arriba abajo y quedó muy ufano de haberse adelantado a todos, incluido Frohmeyer.

Mientras Trish preparaba cacao caliente, Wes empezó a sacar cajas de luces desde el sótano hasta la calzada de entrada, donde las extendió y revisó los circuitos. Nadie en Hemlock colgaba más luces de Navidad que los Trogdon. Las tendían por todo el jardín, envolvían sus arbustos, revestían sus árboles, rodeaban su casa, adornaban sus ventanas… catorce mil bombillas el año anterior.

Frohmeyer dejó el trabajo pronto para poder supervisar los asuntos en Hemlock, y quedó muy complacido al ver actividad. Por un momento sintió celos porque Trogdon se le había adelantado, pero ¿qué importaba aquello en realidad? Poco después unieron fuerzas en la calzada de la señora Ellen Mulholland, una encantadora viuda que ya estaba horneando brownies. En un abrir y cerrar de ojos su Frosty estuvo instalado, sus brownies fueron devorados y ellos salieron a ofrecer más ayuda. Se les unieron varios niños, entre ellos Spike Frohmeyer, un chico de doce años con el instinto de su padre para la organización y el activismo comunitario, y fueron de puerta en puerta, ya avanzada la tarde, dándose prisa antes de que la oscuridad los frenara.

En casa de los Krank, Spike tocó el timbre de la puerta pero no obtuvo respuesta. El Lexus del señor Krank no estaba, lo cual, desde luego, no tenía nada de raro a las cinco de la tarde, pero el Audi de la señora Krank estaba en el garaje, señal segura de que ella se hallaba en casa. Las cortinas y las persianas estaban descorridas. Pero nadie respondía a la puerta y el grupo pasó a casa de los Becker, donde Ned estaba en el jardín delantero limpiando su Frosty, con su suegra ladrando instrucciones desde los escalones.

—Ya se van —susurró Nora en el teléfono de su alcoba.

—¿Por qué hablas en voz baja? —preguntó Luther, inquieto.

—Porque no quiero que me oigan.

—¿Quiénes eran?

—Vic Frohmeyer, Wes Trogdon, me parece que ese tal Brixley del otro lado de la calle, y unos niños.

—Una buena banda de matones, ¿eh?

—Más bien parecían una pandilla callejera. Ahora están en casa de los Becker.

—Que Dios se apiade de ellos.

—¿Dónde está Frosty? —preguntó ella.

—En el mismo sitio donde ha estado desde enero. ¿Por qué lo preguntas?

—Ay, no sé.

—Esto es de risa, Nora. Estás susurrando en el teléfono,

en una casa cerrada, porque nuestros vecinos van de puerta en puerta ayudando a otros vecinos a instalar un ridículo muñeco de nieve de plástico de dos metros de altura, que, por otra parte, no tiene absolutamente nada que ver con la Navidad. ¿Has pensado alguna vez en eso, Nora?

—No.

—Nosotros votamos por Rudolph, ¿recuerdas?

—No.

—Es de risa.

—Pues yo no me río.

—Frosty libra este año, ¿vale? La respuesta es «no».

Luther colgó con suavidad e intentó concentrarse en su trabajo. Después de anochecer volvió a casa, conduciendo despacio y diciéndose durante todo el camino que era una tontería preocuparse por cuestiones tan triviales como poner un muñeco de nieve en el tejado. Y todo el tiempo pensaba en Walt Scheel.

—Vamos, Scheel —murmuró para sí mismo—. No me falles.

Walt Scheel era su rival en Hemlock, un tipo gruñón que vivía justo al otro lado de la calle. Dos hijos que ya habían acabado la universidad, una esposa que luchaba contra un cáncer de mama, un misterioso trabajo en un consorcio belga, unos ingresos que parecían ser de los más altos de Hemlock..., pero ganara lo que ganase, Scheel y su mujer esperaban que sus vecinos pensaran que tenían mucho más. Cuando Luther se compró un Lexus, Scheel tuvo que comprarse otro. Cuando Bellington instaló una piscina, Scheel de repente necesitó nadar en su patio trasero por orden del médico. Cuando Sue Kropp, en el extremo oeste, equipó su cocina con artefactos de diseño —ocho mil dólares, se rumoreaba—, Bev Scheel se gastó nueve mil seis meses después.

Según los testigos, Bev era un desastre como cocinera y su comida sabía peor después de la renovación.

Pero su altanería se había cortado en seco con el cáncer de mama, hacía dieciocho meses. Los Scheel habían sido terriblemente humillados. Mantenerse por delante de los vecinos ya no importaba. Las cosas no servían para nada. Habían soportado la enfermedad con tranquila dignidad y, como de costumbre, Hemlock los había apoyado como una familia. Un año después de la primera quimioterapia, el consorcio belga se había reorganizado. Fuera cual fuese antes el cargo de Walt, ahora era algo más bajo.

Las Navidades anteriores, los Scheel habían estado demasiado aturdidos para decorar. Nada de Frosty, muy poco árbol, solo unas cuantas luces colgadas alrededor de la ventana delantera, casi como una idea de última hora.

Hacía un año, dos casas de Hemlock se habían quedado sin Frosty: la de los Scheel y una del extremo oeste, propiedad de una pareja paquistaní que había vivido allí tres meses y después se había mudado. Había estado en venta y Frohmeyer había llegado a considerar la posibilidad de encargar otro Frosty y dirigir un comando nocturno para instalarlo en la propiedad.

—Vamos, Scheel —murmuró Luther en medio del tráfico—. Deja tu Frosty en el sótano.

La idea de Frosty había tenido gracia seis años atrás, cuando se le ocurrió a Frohmeyer. Ahora era un fastidio. Pero, confesaba Luther, no era nada fastidiosa para los niños de Hemlock. Él se había regocijado en secreto hacía dos años, cuando las ráfagas de viento habían despejado los tejados haciendo volar los Frosty por media ciudad.

Entró en Hemlock y, por lo que pudo ver, la calle estaba flanqueada por muñecos de nieve idénticos, instalados como relucientes centinelas encima de las casas. Solo dos huecos en las filas: los Scheel y los Krank. «Gracias, Scheel», susurró Luther. Había niños en bicicletas. Los vecinos estaban fuera, colgando luces, charlando de un lado a otro de los setos.

Una cuadrilla callejera se estaba reuniendo en el garaje de Scheel, observó Luther mientras aparcaba, y se metió apresuradamente en su casa. Y, en efecto, a los pocos minutos se alzó una escalera y Frohmeyer trepó como un veterano de los tejados. Luther espió a través de la rejilla de su puerta delantera. Allí estaba Walt Scheel, de pie en el jardín delantero con una docena de personas. Bev, envuelta en un cálido abrigo, en los escalones de la puerta. Spike Frohmeyer estaba forcejeando con un cable alargador. Había gritos y risas, todos parecían estar dirigiéndole instrucciones a Frohmeyer mientras se izaba el penúltimo Frosty de Hemlock.

Poco se habló durante una cena a base de pasta sin salsa y queso bajo en grasa. Nora había perdido un kilo trescientos gramos y Luther un kilo ochocientos. Después de fregar los platos, fue a la cinta de andar del sótano, donde caminó durante cincuenta minutos, quemando 340 calorías, más de lo que había ingerido. Se dio una ducha y procuró leer.

Cuando la calle estuvo despejada, salió a pasear. No pensaba ser un prisionero en su propia casa. No se escondería de sus vecinos. No tenía nada que temer de aquella gente.

Sintió una punzada de culpa al admirar las dos pulcras hileras de muñecos de nieve vigilando su tranquila calle. Los Trogdon estaban amontonando más adornos en su árbol, y eso le trajo algunos recuerdos lejanos de la infancia de Blair y aquellos remotos tiempos. No era un hombre nostálgico. «La vida se vive hoy, no mañana, y desde luego no ayer», decía siempre. Los cálidos recuerdos fueron rápidamente borrados por pensamientos de compras y tráfico y dinero derrochado. Luther estaba muy orgulloso de su decisión de librar aquel año.

Su cinturón iba aflojándose. Las playas estaban esperando.

Una bici surgió veloz de la nada y se deslizó hasta detenerse.

—Hola, señor Krank.

Era Spike Frohmeyer, que sin duda volvía a casa después de una reunión juvenil clandestina. El chico dormía menos que su padre, y el vecindario estaba lleno de historias acerca de las correrías nocturnas de Spike. Era un buen chico, pero generalmente incontrolado.

—Hola, Spike —dijo Luther, conteniendo el aliento—. ¿Qué haces aquí fuera?

—Comprobando cosas —dijo Spike, como si fuera el vigilante nocturno oficial.

—¿Qué clase de cosas, Spike?

—Mi padre me envió a la calle Stanton para ver cuántos Rudolph hay instalados.

—¿Y cuántos hay? —preguntó Luther, siguiendo el juego.

—Ninguno. Los hemos vuelto a ganar.

Qué noche de victoria iban a tener los Frohmeyer, pensó Luther. Qué tontería.

—¿Va usted a poner el suyo, señor Krank?

—Pues no, Spike. Este año nos vamos de viaje. No hay Navidad para nosotros.

—No sabía que podía hacerse eso.

—Este es un país libre, Spike. Puedes hacer casi todo lo que quieras.

—Pero ustedes no se van hasta el día de Navidad —dijo Spike.

—¿Qué?

—A mediodía, he oído. Tienen tiempo de sobra para poner el Frosty. Así podremos volver a ganar el premio.

Luther hizo un segundo de pausa y una vez más se maravilló de la rapidez con que podían hacerse correr por todo el vecindario los asuntos privados de una persona.

—Ganar está sobrevalorado, Spike —dijo sabiamente—. Dejemos que otra calle se lleve el premio este año.

—Supongo que sí.

—Ahorra, corre.

Spike se puso en marcha y dijo «Hasta luego» por encima del hombro.

El padre del chico estaba esperando escondido cuando Luther llegó paseando.

—Buenas noches, Luther —dijo Vic, como si el encuentro hubiera sido puramente casual. Estaba apoyado en su buzón, al extremo de su calzada de entrada.

—Buenas noches, Vic —dijo Luther, casi deteniéndose. Pero en el último instante decidió seguir andando. Rodeó a Frohmeyer, quien le siguió los pasos.

—¿Cómo está Blair?

—Bien, Vic, gracias. ¿Qué tal tus chicos?

—Muy animados. Es la mejor época del año, Luther. ¿No crees?

Frohmeyer lo había alcanzado y los dos iban ahora uno al lado del otro.

—Por supuesto, yo no podría estar más feliz. Claro que echo de menos a Blair. No será lo mismo sin ella.

—Claro que no.

Se detuvieron ante la casa de los Becker, la anterior a la de Luther, y miraron cómo el pobre Ned se tambaleaba sobre el último peldaño de la escalera en un vano esfuerzo por colocar una descomunal estrella en la rama más alta del árbol. Su mujer estaba de pie detrás de él, ayudándolo muchísimo con sus instrucciones pero sin sujetar la escalera ni una sola vez, y su suegra estaba unos pasos más atrás para tener una visión general. Parecía inminente una pelea a puñetazos.

—Hay algunas cosas de la Navidad que no voy a echar de menos —dijo Luther.

—O sea ¿que es verdad que os vais?

—Acertaste Vic. Agradecería tu cooperación.

—Por alguna razón no parece correcto.

—Eso no lo tienes que decidir tú, ¿verdad?

—Pues no.

—Buenas noches, Vic. —Luther lo dejó allí, entretenido con los Becker.

6

La mesa redonda de Nora a última hora de la mañana en el refugio para mujeres maltratadas terminó mal cuando Claudia, una conocida en el mejor de los casos, soltó como al azar:

—¿Qué, Nora? ¿Este año no hay juerga de Nochebuena?

De las ocho mujeres presentes, incluida Nora, exactamente cinco habían sido invitadas a sus fiestas de Navidad en el pasado. Tres no lo habían sido, y en aquel momento las tres buscaron un agujero por donde arrastrarse, igual que Nora.

Grosera despreciable, pensó Nora, pero se las arregló para decir rápidamente:

—Me temo que no. Este año libramos.

A lo cual deseó añadir: «Y si alguna vez damos otra fiesta, Claudia querida, no contengas la respiración esperando que te invite».

—He oído que os vais de crucero —dijo Jayne, una de las tres excluidas, intentando reorientar la conversación.

—Pues sí, nos vamos precisamente el día de Navidad.

—Entonces ¿elimináis por completo la Navidad? —preguntó Beth, otra conocida que era invitada todos los años solo porque la empresa de su marido tenía tratos con Wiley & Beck.

—Por completo —dijo Nora agresivamente mientras se le contraía el estómago.

—Es una buena manera de ahorrar dinero —dijo Lila, la mayor víbora del grupo. Su énfasis en la palabra «dinero» implicaba que tal vez las cosas estuvieran un poco apretadas en casa de los Krank. A Nora empezaron a arderle las mejillas. El marido de Lila era pediatra. Luther sabía de buena fuente que estaban muy endeudados: casa grande, coches grandes, clubes de campo. Ganaban mucho, gastaban aún más.

Ahora que pensaba en Luther, ¿dónde estaba él en aquellos terribles momentos? ¿Por qué se llevaba ella la peor parte de su descerebrado plan? ¿Por qué estaba ella en primera línea mientras él se sentaba satisfecho en su tranquila oficina, tratando con gente que o trabajaba para él o le tenía miedo? Wiley & Beck era un club de buenos compañeros, una panda de contables agobiados y tacaños que probablemente estaban brindando por Luther por su valentía al saltarse la Navidad y ahorrar unos cuantos dólares. Si su desafío podía convertirse en una tendencia en alguna parte, era sin duda en la profesión de contable.

Allí a ella estaban poniéndola verde otra vez mientras Luther estaba a salvo en el trabajo, probablemente haciéndose el héroe.

La Navidad la manejaban las mujeres, no los hombres. Ellas hacían las compras, decoraban y cocinaban, planeaban las fiestas y enviaban tarjetas y se preocupaban por cosas en las que los hombres nunca pensaban. ¿Por qué exactamente tenía Luther tanto interés en eludir la Navidad cuando le dedicaba tan poco esfuerzo?

Nora echó humo pero contuvo el fuego. No tenía sentido iniciar una pelea de mujeres en el centro para mujeres maltratadas.

Alguien habló de dejar para otro día la reunión, y Nora fue la primera en salir del local. Echó aún más pestes mientras conducía rumbo a casa: desagradables pensamientos acerca de Lila y su comentario sobre el dinero. Pensamientos aún más feos acerca de su marido y su egoísmo. Le daban verdaderas ganas de tirar la toalla, armar un zafarrancho y tener la casa decorada para cuando él llegara a casa. Podía montar un árbol en dos horas. No era demasiado tarde para planear su fiesta. Frohmeyer estaría encantado de ocuparse de su Frosty. Escatimando en los regalos y unas cuantas cosas más, todavía ahorrarían lo suficiente para pagar el crucero.

Tomó la curva para entrar en Hemlock y, por supuesto, lo primero que notó fue que solo una casa no tenía muñeco de nieve en el tejado. Las ideas de Luther. Su preciosa casa de ladrillo de dos pisos haciéndose notar, como si los Krank fueran hindúes o budistas, de una casta que no creía en la Navidad.

De pie en su salón, miró por la ventana delantera, directamente al sitio donde siempre se había alzado su precioso árbol, y por primera vez Nora se dio cuenta de lo fría y sin adornar que estaba su casa. Se mordió el labio y se dirigió al teléfono, pero Luther había salido a tomar un sándwich. En el montón de correo que había sacado del buzón, entre dos sobres que contenían tarjetas navideñas, vio algo que la detuvo en seco. Correo aéreo, de Perú. Palabras en español estampadas por delante.

Nora se sentó y abrió el sobre. Eran dos páginas de la encantadora caligrafía de Blair, y las palabras eran preciosas.

Se lo estaba pasando en grande en la selva de Perú. No podía ser mejor, vivir con una tribu indígena que llevaba allí varios miles de años. Eran muy pobres, según nuestros criterios, pero sanos y felices. Al principio los niños estaban muy distantes, pero después se habían acercado, deseosos de aprender. Blair se extendía un poco acerca de los niños.

Estaba viviendo en una choza de paja con Stacy, su nueva amiga de Utah. Otros dos voluntarios del Peace Corps vivían cerca. La organización había creado la pequeña escuela cuatro años antes. En cualquier caso, ella estaba bien de salud y bien alimentada, no se habían visto enfermedades temibles ni animales mortíferos, y el trabajo era estimulante.

El último párrafo era la inyección de fortaleza que Nora necesitaba tan desesperadamente. Decía así:

> Sé que será difícil no tenerme allí por Navidad, pero por favor, no os pongáis tristes. Mis niños no saben nada de la Navidad. Tienen tan poco y desean tan poco que me hacen sentir culpable por el insensato materialismo de nuestra cultura. Aquí no hay calendarios, ni relojes, así que ni siquiera sé si me enteraré de cuándo llega y termina.
>
> (Además, podemos recuperarla el año que viene, ¿verdad?)

Qué chica más lista. Nora lo leyó otra vez y de pronto se llenó de orgullo, no solo por haber criado a una hija tan lista y madura, sino también por su decisión de renunciar, al menos por un año, al insensato materialismo de nuestra cultura.

Volvió a llamar a Luther y le leyó la carta.

¡Lunes por la noche en el centro comercial! No era el lugar favorito de Luther, pero sentía que Nora necesitaba salir una noche. Habían cenado en un falso pub en un extremo y después habían luchado a través de las masas para llegar al otro, donde en el cine multisalas se estrenaba una comedia romántica llena de estrellas. Ocho dólares la entrada para lo que Luther sabía que serían otras dos aburridas horas de payasos que cobraban fortunas abriéndose paso a base de risitas a partir de un guión para memos. Pero en fin, a Nora le encantaba el cine y él la siguió para mantener la paz. A pesar de las multitudes, la sala estaba vacía, y Luther se emocionó al darse cuenta de que todos los demás estaban fuera comprando. Se acomodó en su asiento con sus palomitas y se quedó dormido.

Se despertó con un codo en las costillas.

—Estás roncando —le siseó Nora.

—¿Y qué? Esto está vacío.

—Calla, Luther.

Miró la película, pero a los cinco minutos ya había tenido bastante. «Ahora vuelvo», susurró, y salió de la sala. Prefería pelear con la multitud y que le pisaran a tener que mirar semejantes tonterías. Tomó el ascensor al nivel más alto, donde se apoyó en la barandilla y contempló el caos de abajo. Un Santa Claus concedía audiencias en su trono y la cola se movía muy despacio. En la pista de hielo, la música atronaba por altavoces rasposos mientras unos niños vestidos de elfos patinaban alrededor de un animal disecado que parecía ser un reno. Todos los padres miraban a través del objetivo de una videocámara. Compradores fatigados andaban trabajosamente arrastrando bolsas, tropezando unos con otros, peleando con sus hijos.

Luther nunca se había sentido tan orgulloso.

Al otro lado del pasillo vio una tienda nueva de artículos de deporte. Se acercó despacio, observando a través del escaparate que dentro había una multitud y, desde luego, insuficientes cajeros. Pero él estaba solo mirando. Encontró los equipos de submarinismo al fondo, una selección bastante escasa, pero era el mes de diciembre. Los trajes de baño eran de la variedad Speedo, impresionantemente estrechos por todas partes y diseñados en exclusiva para nadadores olímpicos de menos de veinte años. Más bolsa que prenda de ropa. Le daba miedo tocarlos. Se haría con un catálogo y compraría desde la seguridad de su hogar.

Cuando salía de la tienda iba subiendo de tono una discusión en la caja, algo acerca de un artículo reservado que se había perdido. Qué idiotas.

Se compró un yogur desnatado y mató el tiempo paseando por la galería superior, sonriendo presuntuosamente a las almas atormentadas dedicadas a quemar sus nóminas. Se detuvo boquiabierto ante un póster a tamaño natural de una jovencita despampanante en tanga, con la piel perfectamente bronceada. Lo estaba invitando a entrar en un pequeño salón llamado Bronceados Para Siempre. Luther miró a su alrededor como si se tratara de una tienda de revistas porno, y después se escabulló al interior, donde Daisy estaba esperando detrás de una revista. Su rostro moreno forzó una sonrisa y pareció agrietarse en la frente y alrededor de los ojos. Tenía los dientes blanqueados, el pelo aclarado, la piel oscurecida, y por un segundo Luther se preguntó qué aspecto habría tenido antes del tratamiento.

Como era de esperar, Daisy dijo que era la mejor época del año para adquirir un paquete. Su especial de Navidad eran doce sesiones por sesenta dólares. Solo una sesión cada dos días, quince minutos al principio, pero aumentando hasta un máximo de veinticinco. Cuando terminara el tratamiento, Luther estaría espléndidamente bronceado y, desde luego, preparado para todo lo que el sol del Caribe pudiera lanzar contra él.

La siguió unos pasos hasta una fila de cabinas, frágiles cubículos con una camilla de bronceado en cada uno y poco más. Ahora disponían de BronzeMat FX-2000 de último modelo, recién llegadas de Suecia, como si los suecos supieran algo sobre baños de sol. A primera vista, la BronzeMat horrorizó a Luther. Daisy le explicó que simplemente te desnudabas —«sí, todo», ronroneó—, te tendías en la unidad y bajabas la parte superior de un modo que a Luther le recordó una plancha industrial. Te cocinabas durante quince o veinte minutos, sonaba un avisador, te levantabas y te vestías. Así de fácil.

—¿Se suda mucho? —preguntó Luther, luchando con la imagen de sí mismo completamente desnudo mientras ochenta lámparas le cocían todas las partes del cuerpo.

Ella explicó que se pasaba calor. Una vez terminado, bastaba con limpiar la BronzeMat con un spray y toallas de papel y todo quedaba listo para el siguiente.

«¿Cáncer de piel?», preguntó. Ella le dedicó una risa falsa. Ni hablar. Puede que con las unidades más antiguas, antes de que perfeccionaran la tecnología hasta eliminar prácticamente todos los rayos ultravioleta y cosas parecidas. En realidad, las nuevas BronzeMat eran más seguras que el mismísimo sol. Ella llevaba once años bronceándose.

Y tu piel parece cuero quemado, se dijo Luther para sus adentros.

Firmó por dos paquetes por ciento veinte dólares. Salió del salón con la firme decisión de broncearse, por incómodo que resultara. Y rió al pensar en Nora desnudándose detrás de unos tabiques finos como el papel e introduciéndose en la BronzeMat.

7

El agente se llamaba Salino y acudía todos los años. Era corpulento, no llevaba pistola ni chaleco, ni porra de ningún tipo, ni linterna ni balas de plata, ni esposas ni radio, ninguno de los artefactos reglamentarios que a sus congéneres les encantaba adosar a sus cinturones y cuerpos. A Salino le sentaba mal el uniforme, pero llevaba tanto tiempo sentándole mal que a nadie le importaba. Patrullaba el sudoeste, los barrios de alrededor de Hemlock, el acomodado extrarradio donde los únicos delitos eran algún que otro robo de bicicleta o algún coche con exceso de velocidad.

El acompañante de Salino aquella tarde era un fornido joven con mandíbulas encajadas y un rollo de músculos que sobresalía por el cuello de su camiseta marinera. Se llamaba Treen, y Treen llevaba todos los artefactos y adminículos que Salino no llevaba.

Cuando Luther los vio a través de la persiana de su puerta delantera, allí de pie apretando su timbre, pensó al instante en Frohmeyer. Frohmeyer podía conjurar a la policía en Hemlock más deprisa que el propio comisario.

Abrió la puerta, pronunció los obligatorios holas y buenas tardes y los invitó a pasar. No quería que pasaran, pero sabía que no se marcharían hasta haber completado el ritual. Treen tenía en la mano un tubo blanco corriente que contenía el calendario.

Nora, que unos segundos antes estaba viendo la televisión con su marido, se había desvanecido de repente, aunque Luther sabía que estaba detrás de las puertas con vidriera, escondida en la cocina, sin perderse una palabra.

Salino se encargó de hablar. Luther se imaginó que probablemente se debía a que su voluminoso compañero poseía un vocabulario limitado. La Asociación Benéfica de la Policía estaba una vez más trabajando a toda máquina para hacer toda clase de cosas maravillosas para la comunidad. Juguetes para los párvulos, cestas de Navidad para los menos afortunados, visitas de Santa, aventuras con patinaje sobre hielo, excursiones al zoo. Y estaban repartiendo regalos a los ancianos de las residencias y a los veteranos recogidos en asilos. Salino había perfeccionado su presentación. Luther ya la había oído antes.

Para ayudar a sufragar los gastos de sus meritorios proyectos de ese año, la Asociación Benéfica de la Policía había confeccionado una vez más un precioso calendario para el año siguiente, en el que aparecían algunos de sus miembros en acción al servicio del pueblo. Al oír su pie, Treen sacó el calendario de Luther, lo desenrolló y pasó las grandes hojas mientras Salino hacía la exposición. En enero había un guardia de tráfico con una amable sonrisa dirigiendo a unos parvulitos que cruzaban la calle. En febrero, un poli aún más cachas que Treen ayudando a un automovilista en apuros a cambiar una rueda. De algún modo, entre esfuerzo y esfuerzo, el policía había conseguido sonreír. En marzo había una escena bastante tensa de un accidente nocturno, con luces por todas partes y tres hombres de azul conferenciando con el ceño fruncido.

Luther admiró las fotos y el diseño sin decir palabra, mientras los meses iban pasando.

¿Y nada de calzoncillos de piel de leopardo?, quería preguntar. ¿Y el baño turco? ¿Y el salvavidas con solo una toalla alrededor de la cintura? Tres años antes, la ABP había sucumbido a las modas y publicado un calendario con fotos de sus miembros más jóvenes y macizos prácticamente sin ropa, la mitad de ellos sonriendo como bobos a la cámara y la otra mitad esforzándose con la torturada actitud de «odio hacer de modelo» típica de la moda contemporánea. Un gran reportaje sobre el calendario, clasificado «solo para mayores», salió en primera página.

De la noche a la mañana estalló un enorme alboroto. El alcalde estaba indignado y las quejas inundaron el ayuntamiento. El director de la ABP fue despedido. Los calendarios no distribuidos fueron confiscados y quemados, y la cadena local de televisión lo transmitió en directo.

Nora guardó el suyo en el sótano, donde lo disfrutó en secreto todo el año.

El calendario de macizos fue un desastre económico para todos los implicados, pero generó mucho interés las siguientes Navidades. Las ventas casi se duplicaron.

Luther compraba uno cada año, pero solo porque se esperaba que lo hiciera. Curiosamente, los calendarios no tenían precio fijo, al menos no los que repartía personalmente gente como Salino y Treen. Su toque personal costaba algo más, una cantidad adicional de buena voluntad que se esperaba que gente como Luther pagara simplemente porque así era como se hacían las cosas. Era este chantaje forzado, a la vista de todos, lo que Luther odiaba. El año anterior había extendido un cheque por cien dólares para la ABP, pero no lo haría ese año.

Cuando terminó la presentación, Luther se irguió y dijo:

—No lo necesito.

Salino ladeó la cabeza como si hubiera entendido mal. El cuello de Treen se hinchó otro par de centímetros.

La cara de Salino se convirtió en una sonrisa afectada. Puede que no necesites uno, decía la sonrisa, pero lo comprarás de todos modos.

—¿Cómo es eso? —dijo.

—Ya tengo calendarios para el año que viene.

Aquello era una novedad para Nora, que estaba mordiéndose una uña y conteniendo la respiración.

—Pero no como este —acertó a gruñir Treen.

Salino le dirigió una mirada que decía «Tú quédate callado».

—Tengo dos calendarios en mi despacho y otros dos en mi mesa —dijo Luther—. Tenemos uno junto al teléfono en la cocina. Mi reloj me dice exactamente qué día es, y también mi ordenador. No me he equivocado de día en años.

—Estamos recaudando dinero para niños inválidos, señor Krank —dijo Salino, con voz repentinamente baja y áspera. Nora sintió que se le escapaba una lágrima.

—Ya damos para los niños inválidos, agente —replicó Luther—. A través de United Way y de nuestra iglesia y de nuestros impuestos, damos para todos los grupos necesitados que pueda usted nombrar.

—¿No está usted orgulloso de sus policías? —dijo Treen bruscamente, repitiendo sin duda una frase que le había oído decir a Salino.

Luther se contuvo por un segundo y permitió que su ira se calmara. Como si comprar un calendario fuera la única medida de su orgullo por la fuerza local de policía. Como si ceder a un chantaje en medio de su salón fuera una prueba de que él, Luther Krank, apoyaba totalmente a los chicos de azul.

—El año pasado pagué mil trescientos dólares en impuestos municipales —dijo Luther, con los ojos relampagueantes clavados en el joven Treen—. Una parte de los cuales se empleó en pagar sus salarios. Otra parte se usó para pagar a los bomberos, los conductores de ambulancias, los profesores, los de sanidad, los que limpian las calles, el alcalde y su muy amplio personal, los jueces, los alguaciles, los carceleros, todos esos funcionarios del ayuntamiento, toda la gente del Hospital de Beneficencia. Hacen un gran trabajo. Usted, señor, hace un gran trabajo. Estoy orgulloso de todos nuestros empleados municipales. Pero ¿qué tiene que ver un calendario con todo eso?

Por supuesto, a Treen nunca se lo habían expuesto de una manera tan lógica, y no tenía respuesta. Salino tampoco, puestos a ello. Hubo una tensa pausa.

Dado que a Treen no se le ocurría ninguna réplica inteligente, también él se acaloró y decidió tomar el número de matrícula de Krank y tenderle una emboscada en alguna parte, tal vez por exceso de velocidad o si se saltaba una señal de stop. Hacerle parar, esperar un comentario sarcástico, sacarlo del coche, aplastarlo sobre el capó mientras los coches pasaban despacio, ponerle las esposas, llevarlo a la cárcel.

Aquellos agradables pensamientos hicieron sonreír a Treen. Salino, en cambio, no sonreía. Había oído los rumores acerca de Luther Krank y sus estúpidos planes para Navidad. Frohmeyer se lo había contado. Había pasado por allí la noche anterior y había visto la bonita casa sin decorar, sin Frosty, alzándose sola apaciblemente pero tan extrañamente diferente.

—Lamento que opine usted así —dijo Salino con tristeza—. Solo estamos intentando reunir un poco más para ayudar a los niños necesitados.

Nora quería irrumpir a través de la puerta y decir «¡Tenga un cheque! ¡Deme el calendario!». Pero no lo hizo porque las consecuencias no serían agradables.

Luther asintió con las mandíbulas apretadas, los ojos inamovibles, y Treen empezó a enrollar dramáticamente el calendario que ahora venderían a algún otro. Bajo el peso de sus enormes zarpas fue crujiendo y arrugándose, haciéndose cada vez más pequeño. Por fin quedó tan delgado como un palo de escoba, y Treen lo deslizó en su tubo y le puso una tapa en el extremo. Concluida la ceremonia, era hora de que se marcharan.

—Feliz Navidad —dijo Salino.

—¿Sigue la policía patrocinando ese equipo de softball para huérfanos? —preguntó Luther.

—Desde luego que sí —respondió Treen.

—Entonces vuelvan en primavera y les daré cien dólares para uniformes.

Aquello no apaciguó nada a los agentes. No fueron capaces de decir «Gracias». Simplemente, asintieron y se miraron uno a otro.

La situación era tensa cuando Luther los acompañó a la puerta. No se dijo nada, solo el irritante sonido de Treen dándose golpecitos con el tubo en la pierna, como un poli aburrido con una porra buscando una cabeza que machacar.

—Solo eran cien dólares —dijo Nora con brusquedad cuando él volvió a entrar en el cuarto. Luther estaba mirando por detrás de las cortinas para asegurarse de que se marchaban de verdad.

—No, querida, era mucho más —dijo solemnemente, como si la situación hubiera sido compleja y solo él hubiera sabido captarla—. ¿Qué tal un yogur?

Como pasaban hambre, la posibilidad de comer borraba todos los demás pensamientos. Cada noche se premiaban con un pequeño recipiente de insípida imitación de yogur de fruta sin grasa, que saboreaban como si fuera su última comida. Luther había perdido tres kilos y Nora casi tres.

Estaban recorriendo el vecindario en una camioneta, buscando presas. Diez de ellos iban detrás, apoyados en balas de paja, cantando por el camino. Bajo las mantas se hacían manitas y se acariciaban muslos, pero era una diversión inofensiva, al menos de momento. Al fin y al cabo, eran luteranos. Su directora iba al volante y junto a ella iba la esposa del pastor, que también tocaba el órgano los domingos por la mañana.

La camioneta entró en Hemlock y la presa se hizo obvia enseguida. Aminoraron la marcha al acercarse a la casa sin adornos de los Krank. Por suerte, Walt Scheel estaba fuera, luchando con un cable alargador al que le faltaban dos metros y medio para conectar la electricidad de su garaje a los arbustos de boj, alrededor de los cuales había tendido cuidadosamente cuatrocientas luces verdes nuevas. Ya que Krank no iba a decorar, él, Scheel, había decidido hacerlo con especial dedicación.

—¿Está en casa esa gente? —preguntó la conductora a Walt cuando la camioneta se detuvo. Señalaba con la cabeza la casa de los Krank.

—Sí. ¿Por qué?

—Oh, solo estamos cantando villancicos. Tenemos aquí un grupo juvenil de la iglesia luterana de San Marcos.

Walt sonrió de pronto y dejó caer el cable alargador. Qué estupendo, pensó. Krank cree que puede escapar de la Navidad.

—¿Son judíos? —preguntó la mujer.

—No.

—¿Budistas o algo parecido?

—No, nada de eso. Son metodistas. Están intentando evitar la Navidad este año.

—¿Qué?

—Lo que oye. —Walt estaba junto a la puerta del conductor, todo sonrisas—. Es un tipo algo raro. Pasa de la Navidad para ahorrar dinero para un crucero.

La conductora y la mujer del párroco miraron larga e intensamente la casa de los Krank, al otro lado de la calle. Los chicos de atrás habían dejado de cantar y estaban escuchando cada palabra. El engranaje giraba.

—Creo que unos cuantos villancicos les vendrán bien —añadió Scheel, cooperativo—. Vayan, vayan.

La camioneta se vació y el coro bajó a la acera. Se detuvieron junto al buzón de Krank.

—¡Más cerca! —gritó Scheel—. No les importará.

Se alinearon cerca de la casa, junto al macizo de flores favorito de Luther. Scheel corrió a la puerta de su casa y le dijo a Bev que llamara a Frohmeyer.

Luther estaba raspando las paredes de su tarrina de yogur cuando empezó el estruendo muy cerca de él. Los cantores empezaron de golpe y a toda voz con la primera estrofa de «Que Dios os guarde, felices señores», y los Krank se agacharon buscando refugio. Después salieron corriendo de la cocina, agachados, Luther delante y Nora detrás, pasaron al salón y se acercaron a la ventana delantera, donde, gracias a Dios, las cortinas estaban corridas.

El coro saludó excitadamente con las manos al ver a Luther mirando hacia fuera.

—Cantores de villancicos —siseó Luther, dando un paso atrás—. Justo al lado de nuestros enebros.

—Qué bonito —dijo Nora muy tranquila.

—¿Bonito? Están invadiendo nuestra propiedad. Es una trampa.

—No la están invadiendo.

—Claro que sí. Están en nuestra propiedad sin haber sido invitados. Alguien les ha dicho que vinieran, probablemente Frohmeyer o Scheel.

—Los cantores de villancicos no invaden —insistió Nora, prácticamente susurrando.

—Sé lo que me digo.

—Entonces, llama a tus amigos de la policía.

—A lo mejor lo hago —dijo Luther pausadamente, volviendo a mirar por la ventana.

—No es demasiado tarde para comprar un calendario.

Todo el clan Frohmeyer llegó corriendo. Spike guiaba a la manada desde un monopatín, y para cuando se situaron detrás de los cantores, los Trogdon habían oído el ruido y estaban uniéndose al alboroto. Y después los Becker, con la suegra a remolque y Rocky el pasota rezagado detrás de ella.

«Jingle Bells» fue lo siguiente, una versión animada y ruidosa, inspirada sin duda por la excitación que estaba generándose. La directora del coro indicó con gestos a los vecinos que se les unieran, cosa que ellos hicieron encantados, y para cuando empezaron «Noche de paz» su número había aumentado por lo menos a treinta. Los cantores atinaban en casi todas las notas; a los vecinos, eso los tenía completamente sin cuidado. Cantaban a todo pulmón para que el viejo Luther se retorciera.

Al cabo de veinte minutos, los nervios de Nora cedieron y se fue a la ducha. Luther fingió leer una revista en su butacón, pero cada villancico sonaba más fuerte que el anterior. Echó pestes y maldijo entre dientes. La última vez que miró por la ventana había gente por todo su jardín, todos sonriendo y chillando hacia su casa.

Cuando empezaron con «Frosty el muñeco de nieve», bajó a su despacho en el sótano y buscó el coñac.

8

La rutina matinal de Luther no había cambiado en los dieciocho años que llevaba viviendo en Hemlock. Levantarse a las seis, ponerse las zapatillas y el albornoz, hacer café, salir por la puerta del garaje, bajar por la calzada hasta donde Milton, el repartidor de periódicos, había dejado la *Gazette* una hora antes. Luther podía contar los pasos desde la cafetera hasta el periódico, sabiendo que no variarían más de dos o tres. Otra vez dentro, una taza con solo una pizca de nata, la sección de deportes, después información local, negocios y, siempre lo último, las noticias nacionales e internacionales. Hacia la mitad de las necrológicas, le llevaba una taza de café, todos los días la misma taza de color lavanda con dos azucarillos, a su querida esposa.

La mañana siguiente al festival de villancicos en su jardín, Luther bajó medio dormido y arrastrando los pies por su calzada, y estaba a punto de recoger la *Gazette* cuando vio de refilón con el ojo izquierdo un brillante conjunto de colores. Había un letrero en el centro de su césped. LIBERTAD PARA FROSTY, decía el maldito chisme en llamativas letras negras. Estaba hecho en cartulina blanca, con rojos y verdes en los bordes y un dibujo de Frosty encadenado y con grilletes en un sótano, sin duda el sótano de los Krank. O bien era un mal dibujo de un adulto con demasiado tiempo libre, o bien un dibujo bastante bueno de un niño con una madre mirando por encima de su hombro.

Luther sintió de pronto que unos ojos le miraban, montones de ojos, de modo que se guardó con naturalidad la *Gazette* bajo el brazo y volvió a la casa como si no hubiera visto nada. Gruñó mientras se servía el café, maldijo en voz baja mientras se sentaba. No pudo disfrutar de los deportes ni de la información local; ni siquiera las necrológicas conseguían retener su atención. Después cayó en la cuenta de que Nora no debía ver el cartel. La afectaría muchísimo más que a él.

Con cada nuevo ataque a su derecho a hacer lo que quisiera, Luther estaba más empeñado en pasar por alto la Navidad. Pero le preocupaba Nora. Él nunca se desmoronaría, pero temía que ella sí. Si creía que ahora estaban protestando los niños del vecindario, podía hundirse.

Actuó con rapidez, escabulléndose por el garaje, atajando por la esquina, dando zancadas a través del césped porque la hierba estaba mojada y prácticamente helada, arrancando el cartel del suelo y arrojándolo en el cuarto de herramientas, donde ya se ocuparía de él más adelante.

Le llevó a Nora su café y después se instaló de nuevo en la mesa de la cocina, donde intentó en vano concentrarse en la *Gazette*. Pero estaba furioso y tenía los pies congelados.

Luther fue en coche al trabajo.

En cierta ocasión había propuesto cerrar la oficina desde mediados de diciembre hasta después del 1 de enero. De todos modos, nadie trabajaba, había argumentado brillantemente en una reunión de la empresa. Las secretarias necesitaban ir de compras y salían a comer pronto, volvían tarde y se marchaban una hora después para hacer recados. Por qué no hacer que todos se tomaran las vacaciones en diciembre, había dicho con convicción. Una especie de parón de dos semanas, con paga, por supuesto. La facturación era escasa de todos modos, explicó con el respaldo de tablas y gráficos. Desde luego, sus clientes no estaban en sus oficinas, así que no podía terminarse ningún trabajo hasta la primera semana de enero. Wiley & Beck podía ahorrarse unos cuantos dólares prescindiendo de la cena de Navidad y la fiesta de la oficina. Incluso había presentado un artículo del *Wall Street Journal* acerca de una gran empresa de Seattle que había adoptado esa política con resultados extraordinarios, o eso decía el *Journal*.

Había sido una presentación espléndida. La empresa votó en contra por once a dos y Luther estuvo echando humo todo un mes. Solo Yank Slader se había puesto de su parte.

Luther repitió los movimientos de todas las mañanas, con la mente en el recital de la noche pasada junto a sus enebros y el letrero de protesta en su jardín. Le gustaba la vida en Hemlock, llevarse bien con sus vecinos, incluso procurar ser cordial con Walt Scheel, y ahora se sentía incómodo siendo el blanco de su desaprobación.

Biff, la agente de viajes, le cambió el humor cuando entró contoneándose en su despacho prácticamente sin llamar —Dox, su secretaria, estaba perdida en unos catálogos— y le presentó sus billetes de avión y de barco, junto con un bonito itinerario y un folleto actualizado sobre el *Island Princess*. Se marchó a los pocos segundos, una visita demasiado breve para el gusto de Luther, que, cuando admiraba su figura y su bronceado, no podía evitar soñar con los incontables tangas que pronto encontraría. Cerró la puerta y no tardó en perderse en las cálidas aguas azules del Caribe.

Por tercera vez en aquella semana, Luther salió de hurtadillas poco antes de la hora de comer y se dirigió a toda prisa al centro comercial. Aparcó lo más lejos posible porque necesitaba andar —ya había perdido tres kilos y medio y se sentía muy en forma— y entró por Sears junto a una multitud de compradores de mediodía. Solo que Luther iba allí a echar una siesta.

Oculto tras unas gruesas gafas de sol, se zambulló en Bronceados Para Siempre, en la planta superior. Daisy la de la piel cobriza había sido relevada por Daniella, una pelirroja pálida cuyo permanente bronceado solo había conseguido que sus pecas se agrandaran y extendieran. Marcó su tarjeta, le asignó el salón 2 y, con toda la sabiduría de una dermatóloga sumamente competente, dijo: «Creo que hoy bastará con veintidós minutos, Luther». Tenía por lo menos treinta años menos que él, pero ni siquiera dudó cuando lo llamó simplemente Luther. A aquella cría con un trabajo temporal y sueldo mínimo ni se le pasaba por la cabeza que tal vez debería llamarle señor Krank.

«¿Por qué no veintiún minutos? —le entraron ganas de replicar—. ¿O veintitrés?»

Gruñó por encima del hombro y pasó al salón 2.

La BronzeMat FX-2000 estaba fría al tacto, buena señal porque Luther no soportaba la idea de meterse en el artefacto después de que hubiera salido otro. La roció rápidamente con Windex, frotó con furia y después comprobó que la puerta estaba cerrada, se desnudó como si alguien pudiera verlo y se tendió con mucha delicadeza en la camilla bronceadora.

Se estiró y acomodó hasta estar lo más confortable posible, tiró de la pieza superior, le dio al interruptor y empezó a freírse. Nora había ido dos veces y no estaba segura de si volvería a broncearse porque a la mitad de la última sesión alguien había movido el picaporte y la había asustado. Exclamó algo, no recordaba exactamente qué debido al terror del momento, y al incorporarse instintivamente se había golpeado la cabeza con la parte superior de la Bronze-Mat.

También de aquello había echado la culpa a Luther. Reírse no lo había ayudado.

Al poco rato se había evadido, volando al *Island Princess* con sus cuatro piscinas y sus cuerpos morenos y atléticos holgazaneando, volando a las playas de arena blanca de Jamaica y Gran Caimán, volando sobre las aguas cálidas y tranquilas del Caribe.

Un zumbador le sobresaltó. Sus 22 minutos habían pasado. Con tres sesiones ya, Luther podía por fin ver alguna mejora en el destartalado espejo de la pared. Era solo cuestión de tiempo que alguien de la oficina hiciera un comentario sobre su bronceado. Estaban todos muertos de envidia.

Mientras se apresuraba de vuelta al trabajo, con la piel todavía caliente y el estómago aún más plano después de haberse saltado otra comida, empezó a neviscar.

Luther descubrió que le daba miedo volver a casa. Las cosas iban bien hasta que llegaba a Hemlock. En la casa de al lado, Becker estaba añadiendo más luces a sus arbustos y, por pura mala idea, ponía especial énfasis en el extremo de su jardín que lindaba con el garaje de Luther. Trogdon tenía tantas luces que no podía saberse si estaba añadiendo más, pero Luther sospechaba que sí. Al otro lado de la calle, al lado de la casa de Trogdon, Walt Scheel decoraba más cada día. Y eso que era un tipo que apenas había colgado la primera tira de luces el año anterior.

Y ahora, en la casa de al lado —al este de la de los Krank—, Swade Kerr había sido poseído de repente por el espíritu navideño y estaba envolviendo sus pequeños y escuálidos arbustos de boj con luces rojas y verdes parpadeantes y nuevecitas. Los Kerr educaban a sus niños en casa y por lo general los tenían encerrados en el sótano. Se negaban a votar, hacían yoga, solo comían verduras, llevaban sandalias con gruesos calcetines en pleno invierno, procuraban no trabajar y aseguraban que eran ateos. Muy estomagantes pero no malos vecinos. La mujer de Swade, Shirley, que tenía un apellido compuesto, tenía rentas.

«Me tienen rodeado», murmuró Luther para sí mismo mientras aparcaba en su garaje. Luego corrió hacia la casa y cerró la puerta tras él.

—Mira eso —dijo Nora con el ceño fruncido, tras un picotazo en la mejilla y el obligatorio «¿Qué tal has pasado el día?».

Dos sobres de colores pastel, algo obvio.

—¿Qué son? —dijo Luther secamente. Lo que menos quería ver eran tarjetas de Navidad con sus hipócritas mensajitos. Luther quería comida, que esa noche sería pescado al horno con verduras al vapor.

Sacó las dos tarjetas, ambas con un Frosty en la parte delantera. Ninguna estaba firmada. No había remite en los sobres.

Tarjetas de Navidad anónimas.

—Muy gracioso —dijo, tirándolas sobre la mesa.

—Pensé que te gustarían. Los matasellos son de aquí.

—Es Frohmeyer —dijo Luther, quitándose la corbata a tirones—. Le gustan las bromas.

A mitad de la cena, sonó el timbre de la puerta. Un par de bocados grandes y Luther habría dejado limpio su plato, pero Nora estaba predicando las virtudes de comer despacio. Luther todavía tenía hambre cuando se puso en pie y murmuró algo así como «¿Quién puede ser ahora?».

El bombero se llamaba Kistler y el enfermero era Kendall, los dos jóvenes y fuertes, en excelente forma gracias a las incontables horas haciendo músculo en el cuartelillo, sin duda a costa de los contribuyentes, pensó Luther mientras los invitaba a pasar. Apenas cabían por la puerta. Era otro ritual anual, otro perfecto ejemplo de lo que tenía de malo la Navidad.

El uniforme de Kistler era azul marino y el de Kendall verde oliva. Ninguno de los dos hacía juego con los gorritos rojiblancos de Santa Claus que ambos llevaban, pero a quién le importaba eso. Los gorros eran extravagantes y graciosos, pero Luther no sonreía. El enfermero sostenía una bolsa de papel junto a la pierna.

—Este año también vendemos pasteles de frutas, señor Krank —estaba diciendo Kistler—. Como todos los años.

—El dinero es para el reparto de juguetes —dijo Kendall, perfectamente sincronizado.

—Queremos reunir nueve mil pavos.

—El año pasado sacamos poco más de ocho.

—Este año nos esforzamos más.

—En Nochebuena repartiremos juguetes a seiscientos niños.

—Es un proyecto impresionante.

Uno y otro, uno y otro. Un equipo perfectamente entrenado.

—Tendría que verles las caras.

—Yo no me lo perdería por nada en el mundo.

—Bueno, tenemos que reunir el dinero, y deprisa.

—Tenemos los pastelitos Mabel's de toda la vida.

Kendall movió la bolsa delante de Luther como si este quisiera cogerla y echar un vistazo a su contenido.

—Famosos en todo el mundo.

—Los hacen en Hermansburg, Indiana, sede de la pastelería Mabel's.

—Media ciudad trabaja allí. No hacen nada más que pasteles de fruta.

Pobre gente, pensó Luther.

—Tienen una receta secreta y solo utilizan los ingredientes más frescos.

—Y hacen los mejores pasteles de fruta del mundo.

Luther odiaba los pasteles de frutas. Los dátiles, higos, ciruelas pasas, frutos secos, trocitos de frutas secas y de colores.

—Ya llevan ochenta años haciéndolos.

—Son los pasteles que más se venden en el país. El año pasado, seis toneladas.

Luther estaba absolutamente inmóvil, defendiendo su terreno, con los ojos saltando de uno a otro.

—Ni conservantes ni aditivos.

—No sé cómo los mantienen tan frescos.

Con conservantes y aditivos, quería decir Luther.

Un repentino ataque de hambre golpeó a Luther con fuerza. Casi se le doblaron las rodillas, su cara de póquer estuvo a punto de hacer una mueca. Desde hacía dos semanas, su sentido del olfato era mucho más agudo, sin duda un efecto secundario de la estricta dieta. Es posible que hubiera captado algún efluvio de las delicias de Mabel's, no estaba seguro, pero de pronto le entró el ansia. De repente necesitaba comer algo. De repente quería arrebatarle la bolsa a Kendall, rasgar la envoltura de un paquete y empezar a masticar pastel de frutas.

Enseguida se le pasó. Con las mandíbulas apretadas, Luther aguantó hasta que hubiera pasado del todo y después se relajó. Kistler y Kendall estaban tan absortos en su rutina que no se habían dado cuenta.

—Solo tenemos existencias limitadas.

—Gustan tanto que hay que racionarlos.

—Tenemos suerte de tener novecientos.

—A diez pavos el paquete, sacaremos nueve mil para los juguetes.

—Usted compró cinco el año pasado, señor Krank.

—¿Puede hacerlo otra vez?

Sí, el año pasado había comprado cinco, recordaba Luther. Se llevó tres a la oficina y los dejó en secreto en las mesas de tres compañeros. Al final de la semana, habían dado tantas vueltas que los envoltorios estaban gastados. Dox los tiró a la papelera cuando cerraron por Navidad.

Nora le regaló los otros dos a su peluquera, una mujer de 130 kilos que reunió docenas y tuvo pasteles de frutas hasta julio.

—No —dijo por fin Luther—. Este año no quiero.

El equipo quedó en silencio. Kistler miró a Kendall y Kendall miró a Kistler.

—¿Cómo dice?

—No quiero pasteles de frutas este año.

—¿Cinco son demasiados? —preguntó Kistler.

—Uno ya es demasiado —replicó Luther, y después cruzó despacio los brazos sobre el pecho.

—¿Ninguno? —preguntó Kendall, incrédulo.

—Cero —dijo Luther.

Pusieron la expresión más lastimera posible.

—¿Todavía hacéis ese rodeo de pesca para niños discapacitados el Cuatro de Julio? —preguntó Luther.

—Todos los años —dijo Kistler.

—Estupendo. Volved en verano y donaré cien pavos para el rodeo de pesca.

Kistler se las apañó para murmurar un «gracias» muy débil.

Necesitaron varios movimientos raros para pasar por la puerta. Luther regresó a la mesa de la cocina, donde todo había desaparecido: Nora, su plato con los dos últimos bocados de pescado al vapor, su vaso de agua, su servilleta. Todo. Furioso, saqueó la despensa, donde encontró un tarro de mantequilla de cacahuetes y unas pocas galletitas saladas rancias.

9

El padre de Stanley Wiley había fundado Wiley & Beck en 1949. Beck llevaba muerto tanto tiempo que nadie sabía exactamente por qué su nombre seguía en la puerta. Sonaba bien, Wiley & Beck, y además habría salido caro cambiar el material de escritorio y cosas así. Para una empresa de contabilidad que llevaba activa medio siglo, lo asombroso era lo poco que había crecido. Había unos doce socios en impuestos, entre ellos Luther, y unos veinte en auditorías. Sus clientes eran empresas medianas que no podían pagar a las empresas de contabilidad de ámbito nacional.

Si Stanley Wiley hubiera tenido más ambición, unos treinta años atrás, quizá la vieja empresa habría sabido impulsarse y habría llegado a convertirse en una empresa puntera. Pero no la había tenido, y ahora se contentaba con definirse como «una empresa pequeña pero de clientela selecta».

Justo cuando Luther estaba pensando en otra rápida escapada para echar una carrerita al centro comercial, Stanley se materializó de la nada con un largo bocadillo del que colgaba lechuga por los lados.

—¿Tienes un minuto? —dijo con la boca llena.

Ya se había sentado antes de que Luther pudiera decir «Sí» o «No» o «¿Puedes darte prisa?». Llevaba ridículas pajaritas y solía tener diversas manchas en sus camisas azules con botones en el cuello: tinta, mayonesa, café. Stanley era un tipo torpe y su despacho un notorio vertedero donde documentos y archivos se perdían durante meses. «Prueba en el despacho de Stanley», era el eslogan de la empresa para los papeles que nunca se encontraban.

—He oído que no estarás en la cena de Navidad mañana por la noche —dijo, sin dejar de masticar. A Stanley le gustaba rondar por la oficina a la hora de comer, con un bocadillo en una mano y un refresco en la otra, como si estuviera demasiado ocupado para una comida de verdad.

—Estoy eliminando un montón de cosas este año, Stanley, sin pretender ofender a nadie —dijo Luther.

—O sea, que es verdad.

—Es verdad. No estaremos.

Stanley tragó con el ceño fruncido y después examinó el bocadillo en busca del siguiente bocado. Era el socio gerente, no el jefe. Luther era socio desde hacía seis años. Nadie en Wiley & Beck podía obligarlo a hacer nada.

—Siento oír eso. Jayne se desilusionará.

—Le enviaré una nota —dijo Luther.

No era una velada espantosa: una agradable cena en un antiguo restaurante del centro, en un salón privado del piso superior, buena comida, vinos decentes, unos cuantos discursos, y después una banda y baile hasta altas horas. De etiqueta, por supuesto, y las señoras se esforzaban por superarse unas a otras en vestidos y joyería. Jayne Wiley era una mujer encantadora que merecía mucho más de lo que tenía con Stanley.

—¿Hay alguna razón en particular? —preguntó Stanley, presionando un poco más.

—Este año pasamos de todo el tinglado, Stanley: ni árbol, ni regalos, ni discusiones. Nos ahorramos el dinero y nos vamos diez días de crucero. Blair no está y necesitamos un descanso. Supongo que ya nos reincorporaremos sin problemas el año que viene, y si no, el siguiente.

—Es todos los años, ¿no?

—Así es, efectivamente.

—Veo que estás perdiendo peso.

—Cuatro kilos. Las playas me esperan.

—Tienes muy buen aspecto, Luther. He oído que te bronceas.

—Estoy probando un tono más oscuro, sí. No puedo permitir que el sol me la juegue.

Un gran bocado a la baguette de jamón con tiras de lechuga colgando y quedándose entre los dientes, y después movimiento.

—No es mala idea, la verdad —o algo parecido, dijo.

La idea que tenía Stanley de unas vacaciones era una semana en su casa de la playa, una barraca prefabricada en la que no había invertido nada en treinta años. Luther y Nora habían pasado allí una semana espantosa, invitados por los Wiley, que se quedaron la alcoba principal e instalaron a los Krank en la «suite de invitados», una habitación estrecha con literas y sin aire acondicionado. Stanley trasegaba gin-tonics desde media mañana hasta última hora de la tarde y el sol jamás tocó su piel.

Se marchó con los carrillos llenos, pero antes de que Luther pudiera escapar, Yank Slader entró corriendo.

—Llevo ya cinco mil doscientos pavos, colega —anunció—. Y acabamos de empezar. Abigail acaba de gastarse seiscientos en un vestido para la cena de Navidad. No sé por qué no puede ponerse el del año pasado, o el del anterior, pero ¿para qué discutir? Los zapatos, ciento cuarenta dólares; el bolso, otros noventa. Tiene los armarios llenos de zapatos y bolsos, pero no me tires de la lengua. A este paso, superamos los siete mil. Por favor, dejadme ir en el crucero.

Inspirado por Luther, Yank estaba llevando una contabilidad exacta de los gastos de Navidad. Dos veces a la semana, entraba para ponerlo al día. No estaba claro qué haría con los resultados. Probablemente nada, y él lo sabía. «Eres mi héroe», dijo una vez más, y salió tan deprisa como había llegado.

Todos tienen envidia, pensó Luther. En aquel momento crítico, a falta solo de una semana y con la locura navideña creciendo cada día, todos se morían de envidia. Algunos, como Stanley, se negaban a admitirlo. Otros, como Yank, estaban manifiestamente orgullosos de Luther.

Demasiado tarde para ir a broncearse. Luther se acercó a su ventana y disfrutó de la visión de una fría lluvia cayendo sobre la ciudad. Cielo gris, árboles pelados, unas pocas hojas esparcidas por el viento, el tráfico fastidiado en las calles a lo lejos. Qué encanto, pensó, satisfecho de sí mismo. Se palmeó su estómago plano y después bajó a tomar un refresco sin calorías con Biff, la agente de viajes.

Al oír el zumbador, Nora saltó de la BronzeMat y agarró una toalla. Sudar no era algo que le gustara especialmente, y se secó con aire vengativo.

Tenía puesto un biquini rojo muy pequeño, que le quedaba sensacional a la joven y esbelta modelo del catálogo, un biquini que sabía que nunca se pondría en público, pero a pesar de ello Luther había insistido. Se había quedado embobado con la modelo y había amenazado con pedirlo él mismo. No era demasiado caro, y ahora lo tenía Nora.

Se miró en el espejo y se ruborizó de nuevo al verse con una prenda tan minúscula. Claro que estaba perdiendo peso. Claro que estaba bronceándose. Pero harían falta cinco años de pasar hambre y machacarse en el gimnasio para hacer justicia a lo que llevaba puesto en aquel momento.

Se vistió deprisa, poniéndose los pantalones y el jersey encima del biquini. Luther aseguraba que él se bronceaba desnudo, pero ella no pensaba desnudarse para nadie.

Aun vestida, se sentía como una fulana. El chisme le apretaba en los peores sitios y cuando andaba, bueno, no era precisamente cómodo. Estaba deseando correr a casa, quitárselo, tirarlo y disfrutar de un largo baño caliente.

Había salido sin contratiempos de Bronceados Para Siempre y doblado una esquina cuando se encontró cara a cara con el reverendo Doug Zabriskie, su párroco. Iba cargado con bolsas de compra, mientras que ella no llevaba en la mano nada más que el abrigo. El reverendo estaba pálido, ella tenía la cara colorada y todavía sudaba. Él iba cómodo con su vieja chaqueta de tweed, su abrigo, su alzacuellos y su camisa negra. El biquini de Nora le estaba cortando la circulación y encogía por momentos.

Se abrazaron educadamente.

—Os eché en falta el domingo pasado —dijo él, una costumbre irritante que había adquirido hacía años.

—Estamos muy ocupados —dijo ella, comprobando si le sudaba la frente.

—¿Estás bien, Nora?

—Muy bien —replicó ella.

—Pareces un poco sofocada.

—Es que he andado mucho —dijo ella, mintiéndole a su párroco.

Por alguna razón, él le miró los zapatos. Desde luego, Nora no llevaba zapatillas.

—¿Podemos charlar un momento? —preguntó él.

—Pues claro —dijo ella.

Había un banco vacío cerca de la barandilla de la galería. El reverendo arrastró sus bolsas y las amontonó junto a él. Cuando Nora se sentó, el pequeño biquini rojo de Luther se movió de nuevo y algo cedió, una tira tal vez, por encima de la cadera, y algo empezó a deslizarse hacia abajo. Llevaba pantalones anchos, nada ceñidos, y había abundante espacio para el movimiento.

—He oído muchos rumores —empezó él en voz baja. Tenía la molesta costumbre de acercarse a tu cara cuando te hablaba. Nora cruzó y recruzó las piernas, y con cada maniobra las cosas empeoraron.

—¿Qué clase de rumores? —preguntó, muy tiesa.

—Bueno, seré muy franco, Nora —dijo él, inclinándose aún más y más cerca—. He oído de una buena fuente que tú y Luther habéis decidido no observar la Navidad este año.

—Sí, más o menos.

—Nunca había oído nada parecido —dijo él muy serio, como si los Krank hubieran descubierto una nueva variedad de pecado.

De pronto a Nora le daba miedo moverse, y aun así tenía la impresión de que la ropa se le estaba desprendiendo. Nuevas gotas de sudor surgieron en su frente.

—¿Estás bien, Nora? —preguntó él.

—Estoy bien, los dos estamos bien. Seguimos creyendo en la Navidad, en celebrar el nacimiento de Cristo, solo que este año vamos a pasar de toda esa locura. Blair no está y nos tomaremos un descanso.

El reverendo Zabriskie ponderó la cuestión larga e intensamente, mientras Nora cambiaba un poco de postura.

—Sí que es una pequeña locura, ¿verdad? —dijo él, mirando el montón de bolsas que había depositado a su lado.

—Pues sí. Mire, estamos bien, Doug, se lo prometo. Estamos felices y sanos, y solo estamos relajándonos un poco. Nada más.

—He oído que os vais.

—Sí, diez días en un crucero.

Él se rascó la barba, como si no estuviera seguro de aprobarlo o no.

—No os perderéis el oficio de medianoche, ¿verdad? —preguntó con una sonrisa.

—No prometo nada, Doug.

Él le palmeó la rodilla y se despidió. Nora esperó hasta que se perdió de vista y por fin reunió el valor necesario para ponerse en pie. Salió del centro comercial arrastrando los pies, maldiciendo a Luther y su biquini.

La hija pequeña de la prima de la mujer de Vic Frohmeyer colaboraba en su iglesia católica, que tenía un gran coro infantil al que le gustaba cantar villancicos por toda la ciudad. Un par de llamadas telefónicas y la actuación quedó contratada.

Estaba cayendo una ligera nevada cuando empezó el recital. El coro formaba una media luna en la calzada, cerca de la farola de gas, y a la señal empezó a berrear «Pueblecito de Belén». Cuando Luther miró a través de la persiana, lo saludaron con la mano.

Pronto se reunió una multitud detrás de los cantores: niños del barrio, los Becker de la casa de al lado, el clan Trogdon. Y un reportero de la *Gazette* que estaba allí gracias a un aviso anónimo observó durante unos minutos, hizo valer sus derechos y tocó el timbre de la puerta de los Krank.

Luther abrió la puerta de un tirón, listo para soltar un puñetazo.

—¿Qué pasa?

Al fondo resonaba «Navidades blancas».

—¿Es usted el señor Krank? —preguntó el periodista.

—Sí. ¿Y usted quién es?

—Brian Brown, de la *Gazette*. ¿Puedo hacerle unas preguntas?

—¿Sobre qué?

—Sobre esto de pasar de la Navidad.

Luther miró a la multitud en su calzada. Una de aquellas oscuras siluetas lo había delatado. Uno de sus vecinos había llamado al periódico. O Frohmeyer o Walt Scheel.

—No voy a decir nada —dijo y cerró de un portazo.

Nora estaba otra vez en la ducha y Luther bajó al sótano.

10

Luther propuso cenar en Angelo's, su restaurante italiano favorito. Estaba en la planta baja de un viejo edificio del centro, lejos de las hordas de las galerías y centros comerciales, a cinco manzanas de la ruta del desfile. Era una buena noche para alejarse de Hemlock.

Pidieron ensalada con poco aliño y pasta con salsa de tomate, sin carne, ni vino, ni pan. Nora había ido a broncearse por séptima vez, Luther por décima, y mientras sorbían su agua con gas admiraron su aspecto curtido y se rieron de todos los rostros pálidos que los rodeaban. Una de las abuelas de Luther había sido medio italiana, y sus genes mediterráneos estaban resultando muy favorables para el bronceado. Estaba varios tonos más moreno que Nora, y sus amigos lo estaban notando. A él le daba lo mismo. A esas alturas, todo el mundo sabía que iban a ir a las islas.

—Está empezando ahora —dijo Nora, mirando su reloj.

Luther miró el suyo. Las siete de la tarde.

El desfile de Navidad salía todos los años del parque de los Veteranos, en el centro de la ciudad. Con carrozas, camiones de bomberos y bandas de música, no cambiaba nunca. Santa Claus siempre marchaba a la cola, en un trineo construido por los rotarios y escoltado por ocho *shriners* gordos en minimotocicletas. El desfile daba la vuelta al lado oeste y pasaba cerca de Hemlock. Todos los años, durante los últimos dieciocho, los Krank y sus vecinos se habían instalado a lo largo de la ruta del desfile y lo habían convertido en un acontecimiento. Era una tarde de fiesta que Luther y Nora deseaban evitar ese año.

Hemlock estaría a tope de niños, cantores de villancicos y quién sabía qué más. Probablemente, pandillas de ciclistas cantando «Libertad para Frosty» y pequeños terroristas clavando letreros en su jardín.

—¿Qué tal fue la cena de Navidad de la empresa? —preguntó Nora.

—Parece que como siempre. El mismo salón, los mismos camareros, el mismo filete de ternera, el mismo suflé. Slader y Stanley se emborracharon como cubas durante los cócteles.

—Nunca los he visto sobrios durante los cócteles.

—Él hizo el mismo discurso: «Gran esfuerzo, la facturación sube, el año que viene los dejamos muertos, Wiley & Beck es una familia, gracias a todos». Ese tipo de cosas. Me alegro de no haber ido.

—¿Alguien más faltó?

—Dice Slader que Maupin, de auditorías, no se presentó.

—Me pregunto qué se pondría Jayne.

—Se lo preguntaré a Slader. Seguro que tomó notas.

Llegaron sus ensaladas y ellos miraron embobados las diminutas espinacas como refugiados hambrientos. Pero lenta y decorosamente aplicaron el aliño, un poco de sal y pimienta, y empezaron a comer como si la comida no les interesara lo más mínimo.

En el *Island Princess* se servía comida sin parar. Luther tenía planeado comer hasta reventar.

En una mesa no lejos de la suya, una chica guapa de pelo oscuro estaba comiendo con un acompañante. Nora la vio y dejó el tenedor.

—¿Crees que ella está bien, Luther?

Luther echó una ojeada al salón y dijo:

—¿Quién?

—Blair.

Luther terminó de masticar y consideró la pregunta que su esposa ya solo le hacía tres veces al día.

—Está bien, Nora. Se lo está pasando en grande.

—¿Estará segura? —Otra pregunta típica, planteada como si Luther supiera sin lugar a dudas si su hija estaba segura o no en aquel preciso momento.

—El Peace Corps no ha perdido un voluntario en treinta años. Sí, hazme caso, son muy prudentes, Nora. Ahora, come.

Ella movió sus verduras por el plato, tomó un bocado, y perdió interés. Luther dejó limpio su plato y fijó la mirada en el de ella.

—¿Vas a comerte eso? —preguntó.

Ella le cambió el plato y en un abrir y cerrar de ojos Luther había limpiado el segundo. Llegó la pasta y ella protegió su plato. Tras unos pocos bocados medidos, se paró de repente, con el tenedor a mitad de camino de su cara. Después lo dejó de nuevo y dijo:

—Se me había olvidado.

Luther estaba masticando con furia.

—¿Qué pasa? —Nora tenía el terror pintado en el rostro—. ¿Qué pasa, Nora? —repitió, tragando con esfuerzo.

—¿No vienen esos jueces después del desfile?

Entonces Luther cayó también en la cuenta. Retiró su tenedor un momento, bebió un sorbo de agua y miró con dolor a una nada distante. Sí, efectivamente, era verdad.

Después del desfile, un comité de Parques y Actividades Recreativas recorría el barrio en una carroza tirada por un tractor John Deere y examinaba el nivel de espíritu navideño. Daban premios individuales en varias categorías: Diseño Original, Iluminación Festiva, etcétera. Y entregaban un premio a la calle con las mejores decoraciones. Hemlock había ganado el lazo azul dos veces.

El año anterior, Hemlock había quedado segunda, principalmente porque, según los cotilleos de la calle, dos de las 42 casas no habían colocado un Frosty. Boxwood Lane, tres calles al norte, había surgido de la nada con una deslumbrante hilera de bastones de caramelo —se describió a sí misma como La Calle Caramelo— y había arrebatado el premio a Hemlock. Frohmeyer estuvo distribuyendo informes durante un mes.

La cena, ya echada a perder, quedó interrumpida mientras ellos removían su pasta y mataban todo el tiempo posible. Dos grandes tazas de descafeinado. Cuando Angelo's estuvo vacío, Luther pagó la cuenta y volvieron a casa conduciendo despacio.

Efectivamente, Hemlock volvió a perder. Luther recogió la *Gazette* en la semioscuridad y quedó horrorizado al ver la primera página de Noticias Locales. Venía la lista de los ganadores: Cherry Avenue primera, Boxwood Lane segunda, Stanton tercera. Trogdon, el de la acera de enfrente, con más de catorce mil luces, había quedado cuarto en Iluminación Festiva.

En el centro de la página había una gran foto en color de la casa de los Krank, tomada desde cierta distancia. Luther la estudió con atención e intentó determinar el ángulo. El fotógrafo había enfocado desde arriba y con gran angular, casi una vista aérea.

A su lado, la casa de los Becker resplandecía con un cegador despliegue de luces. Al otro lado, la casa y el jardín de los Kerr estaban perfectamente orlados con miles de luces rojas y verdes colocadas alternativamente.

La casa de los Krank estaba a oscuras.

Al este podían verse las casas de los Frohmeyer, los Nugent y los Galdy, todas brillando cálidamente, todas con sus Frosty cómodamente instalados en sus tejados. Al oeste, las de los Dent, los Sloane y los Bellington irradiaban esplendor navideño.

La casa de los Krank estaba muy a oscuras.

—Scheel —gruñó Luther para sí mismo.

La fotografía estaba tomada directamente desde enfrente. Walt Scheel había permitido al fotógrafo subir al tejado de su casa de dos pisos y disparar desde arriba con un gran angular. Probablemente, toda la calle lo había incitado.

Bajo la foto había un breve reportaje. Bajo el titular «PASANDO DE LA NAVIDAD», se leía:

> La casa del señor Luther Krank y señora está bastante oscura estas Navidades. Mientras el resto de sus vecinos de la calle Hemlock están decorando y preparándose activamente para recibir a Santa Claus, los Krank pasan de la Navidad y se preparan para un crucero, según fuentes que no quieren decir su nombre. Ni árbol, ni luces, ni Frosty en el tejado. Es la única casa de Hemlock que ha dejado a Frosty encerrado en el sótano. (Hemlock, frecuente ganadora del concurso de decoración de calles de la *Gazette*, quedó este año en un decepcionante sexto puesto.) «Espero que estén satisfechos», se quejó un vecino no identificado. «Un asqueroso alarde de egoísmo», dijo otro.

Si Luther hubiera tenido una ametralladora, habría salido de un salto y empezado a ametrallar casas.

Como no la tenía, se quedó sentado durante un largo rato con un nudo en el estómago, intentando convencerse a sí mismo de que también eso pasaría. Solo faltaban cuatro días para marcharse, y cuando volvieran, todos aquellos malditos Frosty estarían guardados, y las luces y los árboles habrían desaparecido. Empezarían a llover facturas y puede que entonces todos sus maravillosos vecinos se mostraran más comprensivos.

Hojeó el periódico, pero su concentración estaba muerta. Por fin, Luther tomó la decisión, apretó los dientes y le llevó la mala noticia a su mujer.

—Qué manera más horrible de despertar —dijo Nora mientras intentaba enfocar la foto del periódico. Se frotó los ojos y bizqueó.

—Ese cretino de Scheel dejó que el fotógrafo se subiera a su tejado —dijo Luther.

—¿Estás seguro?

—Pues claro que estoy seguro. Mira la foto.

Ella lo intentaba. Por fin logró enfocar y leyó el reportaje. Se le cortó el aliento al llegar a «asqueroso alarde de egoísmo».

—¿Quién ha dicho eso? —quiso saber.

—O Scheel o Frohmeyer. Quién sabe. Voy a la ducha.

—¿Cómo se atreven? —dijo Nora, todavía mirando la foto boquiabierta.

Ánimo, chica, pensó Luther. Ponte furiosa. Endereza la espalda. Solo quedan cuatro días. No vamos a hundirnos ahora.

Aquella noche, después de cenar y hacer un intento de ver la tele, Luther decidió dar un paseo. Se abrigó y se enroscó al cuello una bufanda de lana; fuera estaban a bajo cero con posibilidad de nieve. Él y Nora habían sido de los primeros en comprar una casa en Hemlock, maldición, no iban a obligarlo a esconderse. Era su calle, su barrio, sus amigos. Pronto se habría olvidado aquel pequeño episodio.

Luther deambuló con las manos bien metidas en los bolsillos, fortaleciéndose los pulmones con el aire frío.

Llegó hasta el extremo de la calle, el cruce de Moss Point, antes de que Spike Frohmeyer encontrara su rastro y lo alcanzara en un monopatín.

—Hola, señor Krank —dijo, deteniéndose.

—Vaya, hola, Spike.

—¿Qué le ha hecho salir?

—Solo estoy dando un paseíto.

—¿Le gustan las decoraciones navideñas?

—Pues claro. ¿Qué te ha hecho salir a ti?

—Solo estoy vigilando la calle —dijo Spike, y miró a su alrededor como si una invasión fuera inminente.

—¿Qué te traerá Santa Claus?

Spike sonrió y se lo pensó un segundo.

—No estoy seguro, pero probablemente una Gameboy y un palo de hockey y una batería.

—Qué pasada.

—Claro que yo ya no creo en eso, ¿sabe? Pero Mike solo tiene cinco años y seguimos fingiendo.

—Claro.

—Tengo que irme. Feliz Navidad.

—Feliz Navidad, Spike —dijo Luther, pronunciando la felicitación prohibida por primera, y esperaba que por última vez aquel año.

Spike desapareció Hemlock abajo, sin duda corriendo a casa para informar a su padre de que el señor Krank estaba fuera de su casa y suelto por la acera.

Luther se detuvo delante del espectáculo de Trogdon, más de catorce mil luces envolviendo árboles y arbustos y ventanas y columnas de porche. En lo alto del tejado, con Frosty, estaban Santa Claus y su reno —Rudolph, naturalmente, con una nariz luminosa intermitente—, todos perfectamente contorneados con luces blancas. El tejado mismo estaba orlado con dos hileras de luces rojas y verdes que parpadeaban alternativamente. También la chimenea centelleaba: cientos de luces azules titilando a la vez e irradiando un brillo fantasmal sobre Frosty. A lo largo de la línea de acebos, junto a la casa, un pelotón de soldados de lata montaba guardia, todos tan altos como una persona y envueltos en luces multicolores. En el centro del césped había un bonito nacimiento, con balas de heno auténticas y una cabra cuya cola subía y bajaba.

Todo un espectáculo.

Luther oyó algo, una escalera que caía en el garaje de al lado de los Trogdon. La puerta del garaje estaba levantada y a través de las sombras vio a Walt Scheel luchando con otra tira de luces. Se acercó y pilló a Walt desprevenido.

—Buenas noches, Walt —dijo amablemente.

—Vaya, si es el viejo Scrooge en persona —dijo Walt con una sonrisa forzada.

Se estrecharon las manos y los dos intentaron pensar en algo cortante e ingenioso. Luther dio un paso atrás, alzó la mirada y dijo:

—¿Cómo subió hasta ahí el fotógrafo?

—¿Qué fotógrafo?

—El de la *Gazette*.

—Ah, ese.

—Sí, ese.

—Trepó.

—No me digas. ¿Por qué se lo permitiste?

—No sé. Dijo que quería coger toda la calle.

Luther dio un bufido y lo dejó pasar.

—Me sorprendes un poco, Walt —dijo, aunque no estaba sorprendido en absoluto. Durante once años se habían tratado de forma cordial, porque ninguno deseaba un enfrentamiento abierto. Pero a Luther no le caía bien Walt por su esnobismo y sus ganas de destacar. Y a Walt no le caía bien Luther porque llevaba años sospechando que sus salarios eran casi iguales.

—Y a mí me sorprendes un poco tú —dijo Walt, pero ninguno de los dos vecinos estaba nada sorprendido.

—Creo se te ha fundido una bombilla allí —dijo Luther, señalando un arbusto envuelto en cien bombillas.

—Enseguida lo arreglo.

—Hasta luego —dijo Luther, alejándose.

—Feliz Navidad —gritó Walt a su espalda.

—Sí, sí.

11

La fiesta de Navidad de la oficina de Wiley & Beck empezaría con una comida preparada por dos hermanos griegos enemistados que hacían la mejor *baklava* de la ciudad. El bar se abría exactamente a las 11.45 —tres barras, en realidad— y poco después las cosas se alborotaban. Stanley Wiley sería el primero en emborracharse —le echaría la culpa al ponche demasiado cargado— y se subiría a una caja al extremo de la mesa de conferencias para repetir el mismo discurso que había pronunciado una semana antes en la cena navideña de etiqueta. Después le entregarían un regalo, una escopeta o un palo de golf nuevo para trampas de arena, o cualquier otro recuerdo inútil que casi le haría llorar y que meses después le regalaría discretamente a algún cliente. Habría más regalos, algunos discursos y payasadas y una o dos canciones mientras corría la bebida. Un año aparecieron dos *strippers* varones que, al compás de una ruidosa caja de ritmos, se desnudaron hasta quedarse en tangas de leopardo mientras los hombres corrían buscando refugio y las secretarias chillaban de placer. Dox, la secretaria de Luther, era la que más fuerte había chillado, y todavía tenía fotos de los chicos. En una circular, Stanley había prohibido los *striptease* para el futuro.

A las cinco, algunos de los contables más estirados y serios de Wiley & Beck estarían metiendo mano o intentando meter mano a algunas de las secretarias menos atractivas. Emborracharse era una conducta aceptada. Arrastrarían a Stanley a su despacho y lo llenarían de café para que pudiera irse a casa. La empresa alquilaba coches para que nadie tuviera que conducir.

En general, era un follón. Pero a los socios les encantaba porque era una buena borrachera lejos de sus esposas, que habían sido debidamente agasajadas en la elegante cena navideña de la empresa y jamás eran invitadas a la fiesta de la oficina. A las secretarias les encantaba porque veían y oían cosas que podían guardarse y utilizar como chantaje durante el resto del año.

Luther odiaba la fiesta de Navidad incluso en los años buenos. Bebía poco y nunca se emborrachaba, y todos los años se avergonzaba de sus compañeros al verlos hacer el idiota.

Así que se quedó en su despacho con la puerta cerrada, atendiendo detalles de última hora. Poco después de las once de la mañana empezó a oírse música por el pasillo. Luther encontró el momento adecuado y desapareció. Era el 23 de diciembre. No volvería hasta el 6 de enero, y para entonces la oficina habría vuelto a la normalidad.

De buena se había librado.

Entró en la agencia de viajes para despedirse de Biff, pero esta ya se había marchado a un nuevo y fabuloso lugar de recreo en México que ofrecía un paquete de vacaciones.

Caminó a paso ligero hasta su coche, muy orgulloso de estar librándose de la locura que había arriba, en la sexta planta. Condujo hasta el centro comercial para la última sesión de bronceado, la última mirada a la muchedumbre de idiotas que habían esperado casi hasta el último minuto para comprar lo que quedara en las tiendas. El tráfico era denso y lento, y cuando por fin llegó al centro comercial un policía de tráfico estaba bloqueando la entrada. Los aparcamientos estaban llenos. No quedaba sitio. Márchense.

Encantado, pensó Luther.

Se reunió con Nora para comer en un establecimiento abarrotado del Distrito. Incluso habían reservado mesa, algo inaudito durante el resto del año. Luther llegaba tarde. Ella había estado llorando.

—Es Bev Scheel —dijo—. Ayer fue a una revisión. El cáncer ha vuelto, por tercera vez.

Aunque Luther y Walt nunca habían sido amigos, sus mujeres se las habían arreglado para mantener buenas relaciones durante los dos últimos años. Lo cierto era que durante muchos años nadie en Hemlock había tratado mucho a los Scheel. Estos trabajaban mucho para tener más, y sus elevados ingresos siempre estaban en exhibición.

—Se ha extendido a los pulmones —dijo Nora, secándose los ojos. Pidieron agua con gas—. Y sospechan que también ha llegado a los riñones y el hígado.

Luther se asustó ante el siniestro avance de la horrorosa enfermedad.

—Es terrible —dijo en voz baja.

—Esta podría ser su última Navidad.

—¿Han dicho eso los médicos? —preguntó él, desconfiando de los pronósticos de aficionados.

—No, lo digo yo.

Siguieron hablando de los Scheel durante mucho rato, y cuando Luther ya no pudo más, dijo:

—Nos vamos dentro de cuarenta y ocho horas. Salud.

Hicieron chocar los vasos de plástico y Nora forzó una sonrisa.

A la mitad de las ensaladas, Luther preguntó:

—¿Tienes alguna queja?

Ella negó con la cabeza, tragó y dijo:

—Bueno, a veces he echado de menos el árbol, los adornos, la música, los recuerdos, supongo. Pero no el tráfico y las compras y el estrés. Fue una gran idea, Luther.

—Soy un genio.

—No te pases. ¿Crees que Blair pensará alguna vez en la Navidad?

—Con suerte, no. Lo dudo —dijo él con la boca llena—. Está trabajando con una horda de salvajes paganos que adoran a los ríos y cosas así. ¿Por qué iban a tomarse vacaciones por Navidad?

—Eres un poco bruto, Luther. ¿Salvajes?

—Era una broma, querida. Seguro que son gente agradable. No te preocupes.

—Blair decía que nunca miraba el calendario.

—Pues eso es impresionante. Yo tengo dos calendarios en mi despacho y sigo olvidando qué día es.

Millie, de la Clínica de Mujeres, se entrometió de pronto con un abrazo para Nora y un «Felices Pascuas» para Luther, lo que normalmente le habría molestado, pero se daba el caso de que Millie era alta y esbelta y muy guapa para su edad, cincuenta y pocos.

—¿Te has enterado de lo de Bev Scheel? —susurró Millie como si Luther se hubiera desvanecido de repente. Luther rezó para que nunca le atacara una enfermedad espantosa en aquella ciudad. Las mujeres cooperantes se enterarían antes que él.

«A mí que me dé un ataque al corazón o tenga un accidente de tráfico, algo rápido. Algo que no se pueda cotillear por ahí mientras yo me voy extinguiendo», se dijo.

Millie se marchó por fin y ellos terminaron sus ensaladas. Luther estaba hambriento mientras pagaba la cuenta y se encontró una vez más soñando con los lujosos despliegues de comida de los folletos del *Island Princess*.

Nora tenía recados que hacer. Luther no. Condujo hasta Hemlock, aparcó en su calzada, un poco aliviado porque no había vecinos holgazaneando cerca de su casa. En el correo había cuatro tarjetas anónimas más con Frosty, estas con matasellos de Rochester, Fort Worth, Green Bay y San Luis. La pandilla universitaria de Frohmeyer viajaba mucho, y Luther sospechaba que eso era un juego para ellos. Frohmeyer era lo bastante incansable y creativo para organizar un broma así. Ya habían recibido treinta y una tarjetas de Frosty, dos de ellas desde Vancouver. Luther las estaba guardando, y cuando regresara del Caribe tenía pensado meterlas todas en un sobre grande y enviárselas, anónimamente por supuesto, a Vic Frohmeyer, dos casas más allá.

«Llegarán con todos los recibos de su tarjeta de crédito», dijo Luther para sus adentros mientras guardaba las tarjetas de Frosty en un cajón con las demás. Encendió la chimenea, se acomodó bajo una manta en su butaca y se quedó dormido.

Fue una noche turbulenta en Hemlock. Pandillas merodeadoras de ruidosos cantores de villancicos se turnaban ante la casa de los Krank. Muchas veces se les unían vecinos arrebatados por el espíritu de las fiestas. En cierto momento, un vocerío de «¡Queremos a Frosty!» estalló detrás de un coro del Club de Leones.

Aparecieron carteles hechos a mano exigiendo «Libertad para Frosty», el primero clavado en el suelo por el mismísimo Spike Frohmeyer. Él y su pequeña cuadrilla recorrían Hemlock de arriba abajo en monopatines y bicicletas, chillando y armando barullo en su exuberancia prenavideña.

Una fiesta vecinal improvisada cobró forma. Trish Trogdon preparó cacao caliente para los chicos mientras su marido, Wes, instalaba altavoces en la calzada. Muy pronto, «Frosty el Muñeco de Nieve» y «Jingle Bells» resonaron en la noche, interrumpidos solo cuando llegaba un coro de verdad a darles la serenata a los Krank. Wes puso una selección de temas de más éxito, pero su favorito aquella noche era «Frosty».

La casa de los Krank permaneció oscura y silenciosa, cerrada y segura. Nora estaba en la alcoba reuniendo lo que quería llevarse. Luther estaba en el sótano, intentando leer.

12

24 de Diciembre. Luther y Nora durmieron casi hasta las siete de la mañana, cuando los despertó el teléfono. «¿Puedo hablar con Frosty?», dijo la voz de un adolescente, y antes de que Luther pudiera soltar una respuesta ingeniosa se cortó la comunicación. Aun así consiguió reír y, al salir de la cama, se palmeó su firme estómago y dijo:

—Las islas nos llaman, querida. Hagamos el equipaje.

—Tráeme mi café —dijo ella, y se deslizó más profundamente bajo las sábanas.

La mañana era nublada y fría, las posibilidades de unas Navidades blancas eran del cincuenta por ciento. Luther, desde luego, no las quería así. Nora recaería en un hechizo de nostalgia si nevaba el día de Nochebuena. Se había criado en Connecticut, donde, según ella, todas las Navidades habían sido blancas

Luther no quería que la meteorología interfiriera en su vuelo del día siguiente.

Se quedó de pie delante de la ventana, exactamente donde habría estado el árbol, se tomó su café, examinó su jardín para asegurarse de que no había sufrido el vandalismo de

Spike Frohmeyer y su banda de forajidos, y miró la casa de los Scheel al otro lado de la calle. A pesar de todas las luces y decoraciones, era un sitio sombrío. Walt y Bev estaban allí, tomando café, moviéndose como sonámbulos, sabiendo los dos, pero no diciéndolo, que aquellas podían ser sus últimas Navidades juntos. Por un momento, Luther sintió una punzada de arrepentimiento por haber eliminado la Navidad, pero no duró mucho.

En la casa de al lado, la de los Trogdon, las cosas eran muy diferentes. Tenían la extraña costumbre de recibir a Santa Claus el día 24 por la mañana, veinticuatro horas antes que el resto del mundo, y después cargar su furgoneta y salir disparados a un refugio para esquiar durante una semana. El mismo refugio todos los años, y Trogdon había explicado que hacían la cena de Navidad en una cabaña de piedra, delante de una rugiente chimenea, con otros treinta Trogdon. Muy confortable, estupendo para esquiar, a los chicos les encantaba y la familia se reunía.

Diferentes estilos.

Así que los Trogdon estaban ya levantados y desenvolviendo montones de regalos. Luther podía ver movimiento alrededor de su árbol, y sabía que dentro de poco estarían llevando cajas y bolsas a la furgoneta y entonces empezarían los gritos. Los Trogdon meterían prisa a los niños para no verse obligados a explicar cómo, exactamente, obtenían un trato tan favorable de Santa Claus.

Por lo demás, Hemlock estaba quieta y silenciosa, preparándose para las festividades.

Luther tomó otro sorbo y sonrió presuntuosamente al mundo. En la mañana de un típico día de Nochebuena,

Nora saltaría de la cama al amanecer con dos largas listas, una para ella y otra más larga aun para él. A las siete tendría un pavo en el horno, la casa inmaculada, las mesas preparadas para la fiesta y a su marido completamente derrotado en la jungla, intentando sortear el tráfico de última hora con su lista. Se ladrarían uno a otro, cara a cara y por el teléfono móvil. Él se olvidaría de algo y ella volvería a enviarlo a la calle. Él rompería algo y sería el fin del mundo.

Un caos total. Después, a eso de las seis, cuando los dos estuvieran agotados y hartos de las fiestas, llegarían sus invitados. También sus invitados estarían exhaustos por el frenético trajín de las Navidades, pero seguirían adelante y harían lo que pudieran.

La fiesta de Nochebuena de los Krank había empezado años atrás con aproximadamente una docena de amigos para tomar aperitivos y copas. El año anterior habían dado de comer a cincuenta.

Su sonrisa presuntuosa se ensanchó aún más en su cara. Saboreó la soledad de su hogar y la perspectiva de un día sin nada que hacer, aparte de meter un poco de ropa en una maleta y prepararse para las playas.

Disfrutaron de un desayuno tardío a base de insípidos cereales de salvado y yogur. La conversación en torno a la *Gazette* fue suave y agradable. Nora estaba procurando animosamente reprimir los recuerdos de Navidades pasadas. Se esforzaba en entusiasmarse por su viaje.

—¿Crees que ella estará segura? —preguntó por fin.

—Está bien —dijo Luther sin levantar la mirada.

Fueron a la ventana delantera y hablaron de los Scheel y observaron el movimiento de los Trogdon. El tráfico estaba aumentando en Hemlock a medida que la gente se aventuraba a salir para una última incursión en la locura. Una camioneta de reparto se detuvo delante de su casa. Butch el repartidor salió de ella con una caja. Corrió hacia la puerta justo cuando Luther estaba abriéndola.

—Felices Pascuas —dijo escuetamente, y casi tiró el paquete a Luther.

Una semana antes, durante una entrega menos tensa, Butch había remoloneado un poco, esperando su aguinaldo anual. Luther le había explicado que ese año no iban a celebrar la Navidad. «Mira, no tenemos árbol, Butch. Ni adornos. Ni regalos. Ni luces en los arbustos, ni Frosty en el tejado. Este año nos marchamos, Butch. Ni calendarios de la policía ni pasteles de frutas de los bomberos. Nada, Butch.»

Butch se marchó sin nada.

La caja era de una empresa de venta por correo llamada Boca Beach. Luther la había encontrado en internet. Llevó el paquete al dormitorio y se puso un conjunto de camisa y pantalones cortos que en la foto había parecido solo un poco llamativo, pero que ahora, colgado de Luther, parecía absolutamente chabacano.

—¿Qué es, Luther? —preguntó Nora, golpeando la puerta.

Era un estampado amarillo, aguamarina y verde pato sobre la vida marina: peces grandes y gordos con burbujas saliendo de sus bocas y flotando hacia arriba. Extravagante, sí. Tonto, también.

Y Luther decidió en aquel mismo lugar y momento que le iba a encantar y lo llevaría con orgullo alrededor de una de las piscinas del *Island Princess*. Abrió de un tirón la puerta. Nora se tapó la boca y se puso histérica al instante. Él desfiló por el pasillo, con su mujer detrás de él desternillándose de risa. Los pies morenos de Luther contrastaban con la moqueta caqui, y entró a paso de marcha en el cuarto de estar, donde se situó orgulloso ante la ventana delantera para que todo Hemlock lo viera.

—¡No te irás a poner eso! —rugió Nora detrás de él.

—Pues claro que sí.

—Entonces yo no voy.

—Sí que vienes.

—Es horroroso.

—Tienes envidia porque no tienes un conjunto así.

—Me entusiasma no tenerlo.

Él la agarró y bailaron por la habitación, riendo los dos, Nora hasta el punto de saltársele las lágrimas. Su marido, un estirado contable fiscal de una empresa aburrida como Wiley & Beck, haciendo todo lo posible por vestirse como un macarra de playa. Y fracasando estrepitosamente.

Sonó el teléfono.

Luther recordaría después que él y Nora dejaron de bailar y reírse al segundo timbrazo, tal vez al tercero, y por alguna razón se quedaron quietos mirando fijamente el teléfono. Sonó otra vez y él avanzó unos pasos para cogerlo. Todo estaba mortalmente quieto y silencioso; tal como recordaba después, todo parecía ir a cámara lenta.

—¿Diga? —dijo. Por alguna razón, el teléfono parecía más pesado.

—Papá, soy yo.

Primero se sorprendió, después no. Le sorprendió oír la voz de Blair, pero no le sorprendía nada que se las hubiera apañado para encontrar un teléfono, llamar a sus padres y desearles feliz Navidad. Al fin y al cabo, en Perú tenían teléfonos.

Pero sus palabras eran tan vibrantes y claras que a Luther le costaba imaginarse a su amada hija sentada sobre un tocón en la jungla, gritando en un teléfono móvil vía satélite.

—Blair —dijo. Nora se puso a su lado de un salto.

La siguiente palabra que registró Luther fue «Miami». Hubo palabras antes y algunas después, pero esa se le quedó grabada. A los pocos segundos de conversación, Luther estaba entre dos aguas y a punto de hundirse. Todo le daba vueltas.

—¿Cómo estás, cariño? —preguntó.

Unas pocas palabras y después otra vez «Miami».

—¿Estás en Miami? —dijo Luther, en voz alta y seca. Nora cambió de posición rápidamente, de modo que sus ojos, excitados y feroces, quedaron a centímetros de los de él.

Luther escuchó. Después repitió:

—Estás en Miami y vienes a casa por Navidad. Qué estupendo, Blair.

A Nora se le desencajaron las mandíbulas y se le abrió la boca de un modo que Luther jamás había visto.

Continuó escuchando y luego dijo:

—¿Quién? ¿Enrique? —Y después, a todo volumen, Luther dijo—: ¡Tu novio! ¿Cómo que tu novio?

De algún modo, Nora consiguió pensar y apretó el botón de «altavoz» del teléfono. Las palabras de Blair brotaron y resonaron por todo el cuarto de estar.

—Es un médico peruano que conocí en cuanto llegué, y es maravilloso. Nos enamoramos a primera vista y en menos de una semana decidimos casarnos. Nunca ha estado en Estados Unidos y está muy emocionado. Le he contado todo sobre cómo es aquí la Navidad: el árbol, los adornos, Frosty en el tejado, la fiesta de Nochebuena, todo. ¿Está nevando, papá? Enrique nunca ha visto unas Navidades blancas.

—No, cariño, todavía no. Te paso a tu madre.

Luther le pasó el receptor a Nora, quien lo cogió a pesar de que con el botón de altavoz apretado no era necesario.

—Blair, ¿dónde estás, cariño? —preguntó Nora, haciendo lo posible por sonar entusiasmada.

—En el aeropuerto de Miami, mamá, y nuestro vuelo llega a casa a las seis y tres minutos. Mamá, te va a encantar Enrique, es cariñosísimo y además guapo de morirse. Estamos enamorados como locos. Ya hablaremos de la boda, probablemente la hagamos en verano, ¿no crees?

—Eeeh, ya veremos.

Luther se había desplomado en el sofá, aparentemente aquejado de una dolencia que podía ser mortal.

Blair seguía hablando a borbotones:

—Le he contado todo sobre la Navidad en Hemlock, los niños, los Frosty, la gran fiesta en nuestra casa. Vas a hacer la fiesta, ¿verdad, mamá?

Luther, al borde de la muerte, gimió, y Nora cometió su primer error. En aquel momento de pánico no se la podía culpar por estar confusa. Lo que debería haber dicho, lo que querría haber dicho, lo que después Luther, con perfecta visión a posteriori, aseguró que debería haber dicho, era: «Pues no, querida, este año no hacemos fiesta».

Pero en aquel momento nada estaba claro, y lo que dijo Nora fue:

—Pues claro que sí.

Luther gimió de nuevo. Nora le miró, un macarra de playa caído, con un conjunto ridículo, medio tumbado como si le hubieran pegado un tiro. Ella, desde luego, le pegaría un tiro si le dieran media oportunidad.

—¡Genial! Enrique siempre ha querido ver las Navidades en Estados Unidos. Se lo he contado todo. ¿A que es una sorpresa maravillosa, mamá?

—Ay, cariño, estoy tan emocionada… —consiguió soltar Nora con la convicción justa—. Nos lo vamos a pasar en grande.

—Mamá, nada de regalos, ¿vale? Por favor, prométeme que nada de regalos. Quería sorprenderos viniendo a casa, pero no quiero que papá y tú andéis ahora de un lado a otro comprando un montón de regalos. ¿Me lo prometes?

—Te lo prometo.

—Genial. Estoy deseando llegar a casa.

«Solo has estado fuera un mes», quiso decir Luther.

—¿Seguro que te parece bien, mamá?

Como si Luther y Nora tuvieran otra opción. Como si pudieran decir «No, Blair, no puedes venir a casa por Navidad. Da la vuelta, cariño, y vuelve a las selvas de Perú».

—Tengo que darme prisa. Volamos de aquí a Atlanta, y después a casa. ¿Podéis ir a recogernos?

—Pues claro, cariño —dijo Nora—. Sin problemas. ¿Y dices que es médico?

—Sí, mamá, y es maravilloso.

Luther estaba sentado en el borde del sofá con la cara metida entre las palmas de las manos, y parecía estar llorando. Nora se quedó de pie con el teléfono agarrado en una mano y las manos en las caderas, mirando al hombre del sofá y dudando si tirarle el teléfono o no.

En contra de lo que le parecía más juicioso, decidió no tirárselo.

Él abrió las palmas de las manos lo justo para decir:

—¿Qué hora es?

—Las once y cuarto. Veinticuatro de diciembre.

La habitación estuvo congelada durante mucho tiempo hasta que Luther dijo:

—¿Por qué le has dicho que vamos a dar la fiesta?

—Porque vamos a dar la fiesta.

—Ah.

—No sé quién vendrá ni qué van a comer cuando vengan, pero vamos a tener una fiesta.

—No estoy seguro...

—No empieces, Luther. Esa idea estúpida fue tuya.

—Ayer no te parecía estúpida.

—Ya, pues hoy eres un idiota. Vamos a dar la fiesta, señor macarra de playa, y vamos a poner un árbol, con luces y adornos, y tú vas a levantar tu culito moreno hasta el tejado y poner el Frosty.

—¡No!

—¡Sí!

Otra larga pausa y Luther pudo oír el fuerte tictac de un reloj en alguna parte de la cocina. O tal vez fuera el firme latido de su corazón. Sus pantalones cortos le llamaron la atención. Unos minutos antes se los había puesto anticipando un mágico viaje al paraíso.

Nora dejó el teléfono y pasó a la cocina, donde pronto empezaron a abrirse y cerrarse cajones.

Luther siguió mirando sus pintorescos pantaloncitos. Ahora le ponían enfermo. Adiós al crucero, las playas, las islas, las aguas cálidas y la comida a todas horas.

¿Cómo podía una llamada de teléfono cambiar tantas cosas?

13

Luther se dirigió despacio hacia la cocina, donde su mujer estaba sentada a la mesa, confeccionando listas.

—¿Podemos hablar de esto? —rogó.

—¿Hablar de qué, Luther? —replicó ella.

—Digámosle la verdad.

—Otra idea tonta.

—La verdad siempre es mejor.

Nora dejó de escribir y lo fulminó con la mirada.

—Esta es la verdad, Luther. Tenemos menos de siete horas para dejar esta casa lista para la Navidad.

—Debería haber llamado antes.

—No, dio por supuesto que estaríamos aquí con un árbol y regalos y una fiesta, como siempre. ¿Quién iba a imaginar que dos adultos normalmente sensatos iban a saltarse la Navidad y marcharse de crucero?

—Puede que todavía podamos ir.

—Otra idea tonta, Luther. Ella viene a casa con su novio. ¿Aún no te has enterado? Seguro que estarán aquí por lo menos una semana. Al menos, eso espero. Olvídate del crucero. Ahora mismo tienes problemas mayores.

—No pienso poner el Frosty.

—Sí que lo vas a poner. Y te voy a decir otra cosa. Blair no sabrá nunca lo del crucero, ¿entendido? Quedaría hecha polvo si supiera que lo teníamos planeado y que ella interfirió. ¿Me entiendes, Luther?

—Sí, señora.

Le puso una hoja de papel en la mano.

—Este es el plan, payaso. Tú vas a comprar un árbol. Yo saco las luces y los adornos. Mientras tú lo decoras, yo me pateo las tiendas y miro si queda algo de comida para una fiesta.

—¿Quién va a venir a la fiesta?

—Aún no he llegado hasta ahí. Ahora, en marcha. Y cámbiate de ropa, que estás ridículo.

—¿Los peruanos no tienen la piel oscura? —preguntó él.

Nora se quedó inmóvil un segundo. Se miraron uno a otro y después los dos apartaron la mirada.

—Creo que eso no importa ahora —dijo ella.

—No se va a casar de verdad, ¿a que no? —dijo Luther, sin podérselo creer.

—Ya nos preocuparemos de la boda si sobrevivimos a la Navidad.

Luther corrió a su coche, arrancó, bajó rápidamente marcha atrás por la calzada y se alejó a toda velocidad. Marcharse era fácil. Volver sería doloroso.

El tráfico se atascó enseguida, y mientras permanecía parado refunfuñó, echó pestes y maldijo. Mil pensamientos corrían por su sobrecargado cerebro. Una hora antes estaba disfrutando de una apacible mañana, dando sorbos a su tercera taza de café... Ahora solo era un pringado más, perdido en el tráfico mientras el reloj corría.

Los boy scouts vendían árboles en un aparcamiento del Kroger. Luther fue frenando hasta parar y saltó del coche. Había un boy scout, un jefe de exploradores, un árbol. El negocio estaba cerrando por fin de temporada.

—Feliz Navidad, señor Krank —dijo el jefe de exploradores, que le pareció vagamente familiar—. Soy Joe Scanlon, el mismo que le llevó un árbol a su casa hace unas semanas.

Luther estaba escuchando, pero también miraba fijamente el último árbol, un retoño de pino enano, torcido y escuálido, que no había sido comprado por buenas razones.

—Me lo llevo —dijo, señalándolo.

—¿De verdad?

—Sí. ¿Cuánto es?

Un letrero escrito a mano y apoyado en una camioneta indicaba varios precios, empezando por 75 dólares y bajando hasta 15 a medida que habían ido pasando los días. Todos los precios, incluido el de 15 dólares, habían sido tachados.

Scanlon vaciló, y después dijo:

—Setenta y cinco pavos.

—¿Por qué no quince?

—Oferta y demanda.

—Es un robo.

—Es para los boy scouts.

—Le doy cincuenta.

—Setenta y cinco, lo toma o lo deja.

Luther entregó el dinero y el boy scout colocó una caja de cartón aplanada encima del Lexus de Luther. Con mucho esfuerzo subieron el árbol al coche y después lo aseguraron con cuerdas. Luther los observaba atentamente, mirando su reloj cada dos minutos.

Cuando el árbol estuvo colocado, la capota y el portaequipajes ya estaban acumulando agujas de pino muertas, montones de ellas.

—Necesita agua —dijo el boy scout.

—Pensaba que no iba usted a celebrar la Navidad —dijo Scanlon.

—Felices Pascuas —dijo Luther bruscamente, entrando en su coche.

—Yo no conduciría muy deprisa.

—¿Por qué no?

—Esas agujas de pino son la mar de frágiles.

De regreso en el tráfico, Luther se sentó al volante muy agachado y miró directamente adelante mientras avanzaba a paso de tortuga. En un semáforo, un camión de reparto de refrescos frenó a su lado y se detuvo. Oyó gritar a alguien, alzó la mirada hacia su izquierda y abrió la ventanilla. Un par de paletos miraban desde arriba, sonriendo.

—Eh, colega, ese es el árbol más feo que he visto en mi vida —gritó uno.

—Es Navidad, tío, gástate un poco de pasta —gritó el otro, y los dos rugieron de risa.

—Ese árbol está despeluchándose más deprisa que un perro con sarna —gritó uno de ellos, y Luther subió la ventanilla. Aun así, podía oír cómo reían.

Al acercarse a Hemlock, su pulso se aceleró. Con un

poco de suerte, tal vez pudiera llegar a casa sin que le vieran. ¿Suerte? ¿Cómo podía esperar buena suerte?

Pero ocurrió. Pasó zumbando ante las casas de sus vecinos, entró en su calzada sobre dos ruedas y se detuvo patinando en el garaje. Todo esto sin ver un alma. Saltó del coche y estaba tirando de las cuerdas cuando se detuvo y miró sin creer lo que veía. El árbol estaba completamente pelado. Nada más que ramas torcidas, ni rastro de verde. Las frágiles agujas de pino sobre las que Scanlon le había advertido todavía volaban al viento entre el Kroger y la calle Hemlock.

El árbol era una visión patética, tendido sobre el cartón aplanado, muerto como un madero a la deriva.

Luther miró a su alrededor, escrutó la calle, arrancó el árbol del coche y lo arrastró por la puerta del garaje hasta el patio trasero, donde nadie podía verlo. Consideró la idea de encender una cerilla y poner fin a sus sufrimientos, pero no había tiempo para ceremonias.

Gracias a Dios, Nora ya se había marchado. Luther entró a trompicones en la casa y estuvo a punto de chocar con una muralla de cajas que ella había bajado del ático; cajas cuidadosamente rotuladas: adornos nuevos, adornos viejos, guirnaldas, luces para el árbol, luces exteriores. Nueve cajas en total, y a él le habían dejado la tarea de vaciar sus contenidos y decorar el árbol. Le llevaría días.

¿Qué árbol?

En la pared, junto al teléfono, Nora había clavado un mensaje con los nombres de cuatro parejas para que él las llamara. Todos eran amigos íntimos, de esos con los que puedes confesarte y decir: «Mirad, la hemos fastidiado.

Blair viene a casa. Por favor, perdonadnos y venid a nuestra fiesta».

Los llamaría más tarde. Pero la nota decía «hazlo ahora». Así que marcó el número de Gene y Annie Laird, tal vez sus amigos más antiguos en la ciudad. Gene respondió al teléfono y tuvo que gritar porque había un alboroto.

—¡Nietos! —dijo—. Los cuatro. ¿Te queda una plaza libre en el crucero, compañero?

Luther apretó los dientes e inició una explicación rápida, y después hizo la invitación.

—¡Qué faena! —gritó Gene—. ¿Viene a casa ahora?

—Exacto.

—¿Y se trae a un peruano?

—Eso es. Menudo shock, de verdad. ¿Podéis ayudarnos y venir?

—Lo siento, tío. Tenemos aquí familia de cinco estados.

—Están invitados también. Necesitamos mucha gente.

—Deja que le pregunte a Annie.

Luther colgó de golpe el teléfono, miró las nueve enormes cajas y se le ocurrió una idea. Probablemente era una mala idea, pero en aquel momento escaseaban las buenas. Corrió al garaje y miró al otro lado de la calle, a casa de los Trogdon. La furgoneta estaba cargada de equipaje y había esquíes atados en lo alto. Wes Trogdon salió de su garaje con una mochila que arrojó a bordo. Luther cruzó rápidamente por el jardín de los Becker y gritó:

—¡Eh, Wes!

—Hola, Luther —dijo el otro con prisa—. Feliz Navidad.

—Sí, feliz Navidad.

Se encontraron detrás de la furgoneta de Trogdon. Luther sabía que tenía que ser rápido.

—Mira, Wes. Estoy en un apuro.

—Luther, se nos ha hecho tarde. Hace dos horas que tendríamos que estar en la carretera.

Un pequeño Trogdon corrió alrededor de la furgoneta, disparando una pistola espacial contra un blanco invisible.

—Solo será un minuto —dijo Luther, procurando parecer calmado pero odiando el hecho de que estaba suplicando—. Blair llamó hace una hora. Estará en casa esta noche. Necesito un árbol de Navidad.

El gesto de prisa y tensión en el rostro de Wes se relajó y en él apareció una sonrisa. Después se echó a reír.

—Ya sé, ya sé —dijo Luther, derrotado.

—¿Qué vas a hacer con ese bronceado? —preguntó Wes entre risas.

—Vale, vale. Mira, Wes, necesito un árbol. Ya no hay árboles en venta. ¿Me prestas el tuyo?

Trish gritó desde dentro del garaje.

—¡Wes! ¿Dónde estás?

—¡Aquí fuera! —gritó él en respuesta—. ¿Quieres mi árbol?

—Sí. Os lo devolveré antes de que volváis a casa. Lo juro.

—Eso es ridículo.

—Sí, lo es, pero no tengo otra opción. Todos los demás van a usar sus árboles esta noche, y mañana.

—Vas en serio, ¿verdad?

—Muy en serio. Vamos, Wes.

Wes sacó un llavero del bolsillo y extrajo las llaves del garaje y la casa.

—No se lo digas a Trish —dijo.

—Te juro que no se lo diré.

—Y como rompas un adorno, los dos somos hombres muertos.

—Nunca lo sabrá, Wes, te lo prometo.

—Esto es muy gracioso, ¿sabes?

—¿Y cómo es que no me río?

Se dieron la mano y Luther volvió corriendo a su casa. Casi había llegado cuando Spike Frohmeyer se metió en su calzada montado en su bici.

—¿Qué está pasando? —exigió saber.

—¿Cómo dices? —dijo Luther.

—Usted y el señor Trogdon.

—¿Por qué no te metes en tus...? —Luther se contuvo y vio una oportunidad. En aquel momento necesitaba aliados, no enemigos, y Spike era el tipo indicado.

—Oye, Spike, colega —dijo afablemente—. Necesito un poco de ayuda.

—¿De qué se trata?

—Los Trogdon se van de casa una semana y yo voy a guardarles su árbol.

—¿Por qué?

—Los árboles se incendian mucho, sobre todo si están cargados de luces. El señor Trogdon tiene miedo de que el árbol se caliente demasiado, así que voy a llevármelo a mi casa unos días.

—Basta con que apague las luces.

—Aun así, tiene todos esos cables y demás. Es bastante peligroso. ¿Crees que puedes echarme una mano? Te pagaré cuarenta dólares.

—¡Cuarenta dólares! Trato hecho.

—Necesitamos una carretilla.

—Se la pediré a Clem.

—Date prisa. Y no se lo digas a nadie.

—¿Por qué no?

—Es parte del trato, ¿vale?

—Vale. Como quiera.

Spike salió disparado a cumplir su misión. Luther respiró hondo y miró la calle Hemlock de arriba abajo. Estaba seguro de que había ojos mirándole, como llevaban haciendo desde hacía semanas. ¿Cómo se había convertido en semejante villano en su propio vecindario? ¿Por qué era tan difícil bailar al propio son alguna vez? ¿Hacer algo a lo que nadie se había atrevido? ¿Por qué todo aquel resentimiento por parte de gente que conocía y que le caía bien desde hacía años?

Pasara lo que pasase en las siguientes horas, juró que no se rebajaría a suplicar a sus vecinos que fueran a su fiesta. En primer lugar, no irían porque estaban enfadados. En segundo lugar, no les daría la satisfacción de decirle que no.

14

Su segunda llamada fue para los Albritton, viejos amigos de la iglesia que vivían a una hora de camino. Luther desnudó su alma y, para cuando terminó, Riley Albritton estaba rugiendo de risa.

—Es Luther —le dijo a alguien que tenía detrás, probablemente Doris—. Blair acaba de llamar. Estará en casa esta noche.

Y con eso, Doris o quien fuera estalló en risas histéricas. Luther deseó no haber llamado.

—Ayúdame, Riley —rogó—. ¿Podéis pasaros por aquí?

—Lo siento, chico. Vamos a cenar en casa de los McIlvaine. Nos invitaron un poco antes, ¿sabes?

—Está bien —dijo Luther, y colgó.

El teléfono sonó inmediatamente. Era Nora, con una voz irritada como Luther no había oído jamás.

—¿Dónde estás? —preguntó ella.

—Pues en la cocina. ¿Dónde estás tú?

—Atascada en el tráfico en Broad, cerca del centro comercial.

—¿Por qué vas al centro comercial?

—Porque no pude aparcar en el Distrito, ni siquiera he podido parar en la calle. No he comprado nada. ¿Tienes un árbol?

—Sí, una auténtica preciosidad.

—¿Lo estás adornando?

—Sí, tengo a Perry Como cantando «Jingle Bells» como fondo mientras bebo ponche y decoro nuestro árbol. Ojalá estuvieras aquí.

—¿Has llamado a alguien?

—Sí, a los Laird y a los Albritton. Ninguno puede.

—Yo he llamado a los Pinkerton, a los Hart, a los Malone y a los Burkland. Todos están comprometidos. Pete Hart se ha reído de mí, el muy cretino.

—Le daré una paliza por ti. —Oye que llamaba Spike a la puerta—. Tengo cosas que hacer.

—Creo que más vale que empieces a llamar a los vecinos —dijo ella, balbuceando en tono agudo.

—¿Para qué?

—Para invitarlos.

—Ni en un millón de años, Nora. Tengo que colgar.

—¿Se sabe algo de Blair?

—Está en un avión, Nora. Llámame más tarde.

La carretilla que Spike había pedido prestada era una Radio Flyer roja que había pasado ya sus mejores tiempos. Con una mirada, Luther decidió que era demasiado pequeña y demasiado vieja, pero no tenía elección.

—Yo iré primero —explicó como si supiera exactamente lo que estaba haciendo—. Espera cinco minutos y entonces trae la carretilla. Que nadie te vea, ¿vale?

—¿Dónde están mis cuarenta dólares?

Luther le dio veinte.

—La mitad ahora, y la otra mitad cuando el trabajo esté hecho.

Entró en casa de los Trogdon por la puerta lateral del garaje y se sintió como un ladrón por primera vez que pudiera recordar. Cuando abrió la puerta de la casa, una alarma pitó durante unos segundos, unos segundos muy largos en los que a Luther se le heló el corazón y vio pasar toda su vida y su carrera ante él. Capturado, detenido, condenado, sin carnet de conducir, despedido de Wiley & Beck, deshonrado. Entonces la alarma calló y él esperó unos segundos más antes de poder respirar. Un panel en la puerta trasera decía que todo iba bien.

Qué barullo. La casa era un basurero con desechos esparcidos por todas partes, clara evidencia de otra triunfal visita del viejo San Nicolás. Trish Trogdon estrangularía a su marido si se enteraba de que le había dado a Luther las llaves. En el salón se detuvo y miró el árbol.

Era bien sabido en Hemlock que los Trogdon no se esmeraban mucho en decorar su árbol. Dejaban que sus hijos colgaran cualquier cosa que encontraran. Había un millón de bombillas, tiras de guirnaldas que no combinaban, adornos cutres a carretadas, carámbanos rojos y verdes, y hasta sartas de palomitas de maíz.

Nora va a matarme, pensó Luther, pero no tenía elección. El plan era tan simple que tenía que salir bien. Él y Spike quitarían los adornos que pudieran romperse y las guirnaldas y, naturalmente, las palomitas, lo colocarían todo sobre el sofá y las butacas, sacarían el árbol de la casa con las luces intactas, lo llevarían a casa de Luther y lo decorarían con adornos de verdad. Después, en algún momento del futuro próximo, Luther y quizá Spike lo despojarían de nuevo, lo llevarían al otro lado de la calle, volverían a colocar la basura de los Trogdon y todos serían felices.

El primer adorno se le cayó y se rompió en una docena de pedazos. Apareció Spike.

—No rompas nada —dijo Luther, mientras recogía el adorno.

—¿Nos vamos a meter en líos por esto? —preguntó Spike.

—Claro que no. Ahora, a trabajar. Y deprisa.

Veinte minutos después, el árbol estaba despojado de todo lo rompible. Luther encontró una toalla sucia en la lavandería y, tumbándose sobre el estómago bajo el árbol, consiguió colocar la peana metálica del abeto encima de la toalla. Spike se inclinó sobre él, empujando con cuidado el árbol hacia un lado, y después hacia el otro. A cuatro patas, Luther consiguió arrastrar el abeto hacia Spike a través del suelo de tarima, a través de las baldosas de la cocina, por el estrecho pasillo hasta la lavandería, donde las ramas rozaron las paredes y dejaron un rastro de agujas de abeto muertas.

—Está ensuciándolo todo —dijo Spike, servicialmente.

—Ya lo limpiaré después —dijo Luther, que estaba sudando como un velocista.

El árbol, por supuesto, era más ancho que la puerta que daba al garaje, como todos los árboles. Spike acercó la carretilla. Luther agarró el tronco del abeto, lo levantó con esfuerzo, hizo pasar la base por la puerta y tiró del conjunto.

Cuando estuvo instalado sin contratiempos en el garaje, Luther recuperó el aliento, le dio al mecanismo de apertura del garaje y se las arregló para sonreír a Spike.

—¿Por qué está usted tan moreno? —preguntó el chico.

La sonrisa se desvaneció al acordarse Luther del crucero al que ya no iba a ir. Miró su reloj: las doce y cuarenta. Las doce y cuarenta y ni un solo invitado para la fiesta, ni comida, ni Frosty, ni luces colgadas en ninguna parte, ni árbol todavía, aunque había uno en camino. De momento, la situación parecía desesperada.

No puedes rendirte, compañero.

Luther se esforzó de nuevo y levantó el árbol. Spike empujó la carretilla debajo y, por supuesto, la base metálica era más ancha que la Radio Flyer. Pero Luther consiguió equilibrarlo y lo contempló durante un momento.

—Tú siéntate ahí —dijo, señalando un minúsculo espacio en la carretilla, debajo del árbol—. Impide que se vuelque. Yo empujaré.

—¿Cree que esto funcionará? —dijo Spike, muy receloso.

Al otro lado de la calle, Ned Becker había estado ocupándose de sus asuntos cuando vio desaparecer el árbol de la ventana delantera de los Trogdon. Transcurrieron cinco minutos y el árbol reapareció en el garaje abierto, donde un hombre y un niño estaban forcejeando con él. Miró con más atención y reconoció a Luther Krank. Vigilando todos sus movimientos, llamó a Walt Scheel por el teléfono móvil.

—Hola, Walt. Soy Ned.

—Feliz Navidad, Ned.

—Feliz Navidad, Walt. Oye, estoy mirando la casa de los Trogdon y parece que a Krank se le ha ido la olla.

—¿Cómo es eso?

—Está robando su árbol de Navidad.

Luther y Spike emprendieron el camino de bajada por la calzada de Trogdon, que hacía una ligera pendiente hasta la calle. Luther iba detrás de la carretilla, sujetándola, dejándola rodar poco a poco. Spike sujetaba el tronco del árbol, aterrorizado.

Scheel asomó por su puerta delantera y cuando vio el robo con sus propios ojos, marcó el número de la policía. Le respondió el sargento de guardia.

—Oiga, soy Walt Scheel, calle Hemlock 1481. Se está cometiendo un robo ahora mismo.

—¿Dónde?

—Aquí mismo, en el 1483 de Hemlock. Estoy viendo cómo lo hacen. Dense prisa.

El árbol de Trogdon cruzó la calle hasta la otra acera, justo delante de la casa de los Becker, desde cuya ventana delantera estaban mirando Ned, su mujer Jude y su suegra. Luther consiguió torcer a la derecha con el manillar, y empezó a tirar de la carretilla hacia su casa.

Quería ir deprisa para que nadie lo viera, pero Spike no paraba de decirle que fuera más despacio. Luther tenía miedo de mirar a su alrededor, y ni por un segundo creyó que estuviera pasando inadvertido. Cuando ya casi estaba en su calzada, Spike dijo:

—La poli.

Luther hizo girar la carretilla justo cuando el coche patrulla frenaba y se detenía en medio de la calle, con las luces relampagueando pero sin sirena. Dos agentes saltaron del vehículo como si aquello fuera una misión de las Fuerzas Especiales.

Luther reconoció a Salino con su gran barriga y al joven Treen con su grueso cuello. Los mismos que habían ido a su casa a venderle calendarios para la Asociación Benéfica de la Policía.

—Hola, señor Krank —dijo Salino con una sonrisa.

—Hola.

—¿Adónde va con eso? —preguntó Treen.

—A mi casa —dijo Luther, señalando. ¡Le había faltado tan poco!

—Será mejor que se explique —dijo Salino.

—Sí, bueno. Wes Trogdon, el de esa casa, me ha prestado su árbol de Navidad. Se marchó hace una hora, y Spike y yo estábamos trasladándolo.

—¿Spike?

Luther se volvió y miró detrás de él, a la carretilla, al estrecho hueco donde había estado Spike. Spike había desaparecido y no se le veía por ninguna parte de Hemlock.

—Sí, un chico de esta calle.

Walt Scheel tenía un asiento de preferencia. Bev estaba descansando, o más bien intentándolo. Walt se reía tan fuerte que Bev acudió a ver qué pasaba.

—Tráete una silla, cariño. Han pillado a Krank robando un árbol.

También los Becker estaban chillando de risa.

—Nos han informado de que estaba cometiéndose un robo —dijo Treen.

—No es ningún robo. ¿Quién ha llamado?

—Un tal señor Scheel. ¿De quién es esta carretilla?

—No lo sé. De Spike.

—Así que también ha robado la carretilla —dijo Treen.

—¡Yo no he robado nada!

—Tiene que reconocer, señor Krank, que esto parece muy sospechoso —dijo Salino.

Sí, en circunstancias normales, Luther podría verse forzado a decir que toda la escena era un poco anormal. Pero Blair estaba más cerca a cada minuto y no había tiempo para echarse atrás.

—Nada de eso, señor. Siempre cojo prestado el árbol de Trogdon.

—Va a tener que acompañarnos para que lo interroguemos —dijo Treen, desenganchando de su cinturón un par de esposas. La visión de los grilletes plateados hizo que Walt Scheel se cayera al suelo. Los Becker tenían problemas para respirar.

Y a Luther se le aflojaron las rodillas.

—Vamos, hombre, no hablará en serio.

—Siéntese en la parte trasera.

Luther se hundió en el asiento trasero, pensando en el suicidio por primera vez en su vida. Los dos policías sentados delante estaban hablando por la radio, algo acerca de encontrar al dueño de la propiedad robada. Las luces del coche seguían girando y Luther quería decir muchas cosas. ¡Suéltenme! ¡Los demandaré! ¡Apaguen las malditas luces! ¡El año que viene les compraré diez calendarios! ¡Adelante, mátenme!

Si Nora llegaba ahora a casa, pediría el divorcio.

Los gemelos Kirby eran unos delincuentes de ocho años de edad del extremo más alejado de Hemlock, y por alguna razón pasaban por allí. Se aproximaron al coche, se acercaron a la ventanilla trasera y establecieron contacto visual directo con Luther, quien se encogió aún más. Enseguida se les unió el mocoso de los Bellington, y los tres se quedaron mirando a Luther como si este hubiera asesinado a sus madres.

Spike llegó corriendo, seguido por Vic Frohmeyer. Los agentes salieron y cambiaron unas palabras con él. Después Treen ahuyentó a los niños y liberó a Luther del asiento trasero.

—Tiene llaves —estaba diciendo Vic, y entonces Luther recordó que, efectivamente, tenía las llaves de la casa de los Trogdon. ¡Qué cretino!

—Conozco a estas dos personas —continuó Frohmeyer—. No es un robo.

Los policías hablaron en voz baja un momento mientras Luther procuraba ignorar las miradas de Vic y Spike. Echó un vistazo alrededor, medio esperando ver cómo Nora llegaba a la calle y sufría un infarto.

—Y el árbol, ¿qué? —preguntó Salino a Vic.

—Si él dice que Trogdon se lo ha prestado, es que es verdad.

—¿Está seguro?

—Estoy seguro.

—Vale, vale —dijo Salino, todavía mirando con desprecio a Luther, como si nunca hubiera visto un criminal más culpable. Entraron despacio en su coche y se alejaron.

—Gracias —dijo Luther.

—¿Qué estás haciendo, Luther? —preguntó Vic.

—Me llevo prestado su árbol. Spike me está ayudando a trasladarlo. Vamos, Spike.

Sin más interrupciones, Luther y Spike llevaron el árbol calzada arriba, lo metieron en el garaje y forcejearon con él hasta que quedó adecuadamente instalado en la ventana delantera. Por el camino dejaron un rastro de agujas muertas, carámbanos rojos y verdes y algunas palomitas.

—Luego pasaré la aspiradora —dijo Luther—. Vamos a comprobar las luces.

Sonó el teléfono. Era Nora, más presa del pánico que antes.

—No encuentro nada, Luther. Ni pavo, ni jamón, ni bombones, nada. Y tampoco encuentro ningún buen regalo.

—¿Regalo? ¿Por qué estás buscando regalos?

—Es Navidad, Luther. ¿Has llamado a los Yarber y a los Friski?

—Sí —mintió él—. Pero están comunicando.

—Sigue llamando, Luther, que no vendrá nadie. He probado con los McTeer, los Morris y los Warner, pero todos tiene compromisos. ¿Cómo va el árbol?

—Va marchando.

—Luego te llamo.

Spike enchufó las luces y el árbol cobró vida. Atacaron las nueve cajas de adornos sin pensar dónde ponían cada cosa.

Al otro lado de la calle, Walt Scheel los observaba con unos prismáticos.

15

Spike estaba subido a la escalera, inclinado precariamente sobre el árbol, con un ángel en una mano y un reno en la otra, cuando Luther oyó el ruido de un coche. Miró por la ventana y vio el Audi de Nora entrando en el garaje. «Es Nora», dijo. Pensó con rapidez y se convenció de que la complicidad de Spike en lo del árbol no debía saberse.

—Spike, tienes que irte ahora mismo —dijo.

—¿Por qué?

—Tu trabajo ha terminado, hijo. Aquí tienes los otros veinte. Un millón de gracias.

Ayudó al chico a bajar de la escalera, le entregó el dinero y lo hizo salir por la puerta principal. Cuando Nora entraba en la cocina, Spike bajó rápidamente los escalones de la entrada y desapareció.

—Descarga el coche —ordenó ella. Tenía los nervios de punta y estaba a punto de estallar.

—¿Qué ocurre? —preguntó él, y al instante deseó no haber dicho nada. Era perfectamente obvio qué ocurría.

Ella puso los ojos en blanco y empezó a estallar. Entonces apretó los dientes y repitió:

—Descarga el coche.

Luther se dirigió a zancadas hacia la puerta y ya casi estaba fuera cuando oyó:

—¡Qué árbol más feo!

Se giró, dispuesto para la guerra, y dijo:

—Lo tomas o lo dejas.

—¿Luces rojas? —dijo ella, en tono de incredulidad.

Trogdon había utilizado una tira de luces rojas, una sarta solitaria, envolviendo apretadamente el tronco del árbol. Luther había considerado la idea de quitarlas, pero le habría llevado una hora. De modo que él y Spike habían procurado taparlas con adornos. Nora, por supuesto, las había visto desde la cocina.

Ahora tenía la nariz metida en el árbol.

—¿Luces rojas? Nosotros nunca hemos puesto luces rojas.

—Estaban en la caja —mintió Luther. No le gustaba mentir, pero sabía que iba a ser el procedimiento habitual durante el próximo día, más o menos.

—¿Qué caja?

—¿Cómo que qué caja? He estado poniendo cosas en el árbol tan deprisa como he podido, Nora. No es momento para ponerse quisquillosa con el árbol.

—¿Carámbanos verdes? —dijo ella, cogiendo uno del árbol—. ¿Dónde has encontrado este árbol?

—Compré el último que tenían los boy scouts. —Era una evasiva, no una mentira directa.

Ella echó una mirada por la habitación, a las cajas desparramadas y vacías, y decidió que había cosas más importantes de las que preocuparse.

—Además —dijo Luther imprudentemente—, al paso que vamos, ¿quién va a verlo?

—Cállate y descarga el coche.

Había cuatro bolsas de comida de una tienda de la que Luther nunca había oído hablar, tres bolsas con asas de una tienda de ropa del centro comercial, una caja de refrescos, otra caja de agua embotellada y un ramo de flores espantosas de una floristería famosa por sus disparatados precios. El cerebro de contable de Luther quería echar cuentas de los daños, pero se lo pensó mejor.

¿Cómo iba a explicar aquello en la oficina? Todo el dinero que había ahorrado se había evaporado. Además, el crucero que no iba a hacer era dinero tirado, porque había renunciado a pagar un seguro de viaje. Luther estaba en medio de un desastre financiero y no podía hacer nada para detener la hemorragia.

—¿Has hablado con los Yarber y los Friski? —preguntó Nora desde el teléfono, con el auricular pegado a la oreja.

—Sí, no pueden venir.

—Saca la comida de esas bolsas —ordenó ella, y después habló por teléfono—. Sue, soy Nora, felices Pascuas. Mira, acabamos de recibir una gran sorpresa. Blair viene a casa con su novio, estará aquí esta noche, y andamos como locos intentando organizar una fiesta de última hora. —Pausa—. En Perú, y no pensábamos verla hasta las próximas Navidades. —Pausa—. Sí, menuda sorpresa. —Pausa—. Sí, novio. —Pausa—. Es médico. —Pausa—. Es de algún sitio de por allí abajo, de Perú, creo. Lo conoció hace solo tres semanas y ya se van a casar, así que no hace falta que te diga que estamos en estado de shock. Sí, esta noche. —Pausa.

Luther sacó cuatro kilos de trucha de Oregón ahumada, envasada en gruesos envoltorios herméticos de celofán, de esos que dan la impresión de que los peces se pescaron hace años.

—Sí que parece una fiesta bonita —estaba diciendo Nora—. Qué pena que no podáis. Sí, le daré un abrazo a Blair. Feliz Navidad, Sue. —Colgó y respiró hondo.

En el momento más inoportuno, Luther dijo:

—¿Trucha ahumada?

—O eso, o pizza congelada —disparó ella con los ojos echando fuego y los puños apretados—. No queda ni un pavo ni un jamón en las tiendas, y aunque encontrara uno, no hay tiempo para cocinarlo. Así que sí, Luther, don Macarra de Playa, esta Nochebuena vamos a cenar trucha ahumada.

Sonó el teléfono y Nora se abalanzó al auricular.

—¿Diga? Sí, Emily, ¿qué tal estás? Gracias por devolver la llamada.

Luther no podía recordar a ninguna persona llamada Emily. Sacó una pieza de kilo y medio de queso Cheddar, un trozo grande de queso de Gruyère, cajas de galletas, almejas en lata y tres pasteles de chocolate de hacía dos días, de una pastelería que Nora siempre había evitado. Ella seguía farfullando acerca de su fiesta de última hora, cuando de pronto dijo:

—¡Podéis venir! Es maravilloso. A eso de las siete, informal, es una cosa ligerita. —Pausa—. ¿Tus padres? Pues claro que pueden venir, cuantos más, mejor. Estupendo, Emily, hasta lueguito. —Colgó sin una sonrisa.

—¿Quién es Emily?

—Emily Underwood.

Luther dejó caer una caja de galletas.

—No —dijo.

De repente, a ella le había entrado interés en vaciar la última bolsa de comida.

—No es posible, Nora —dijo él—. Dime que no has invitado a Mitch Underwood. Aquí no, en nuestra casa no. No es verdad, Nora, por favor, dime que no lo has hecho.

—Estamos desesperados.

—No tan desesperados.

—Emily me cae bien.

—Es una bruja y tú lo sabes. ¿Que te cae bien? ¿Cuándo fue la última vez que comiste con ella, o desayunaste, o tomaste café, o lo que sea?

—Necesitamos gente, Luther.

—Mitch el Bocazas no es gente, es una plaga parlante. Una bomba de verborrea. La gente se esconde de los Underwood, Nora. ¿Por qué?

—Van a venir. Da gracias.

—Van a venir porque nadie en su sano juicio los invitaría a un acto social. Siempre están disponibles.

—Pásame ese queso.

—Es una broma, ¿no?

—Se llevará bien con Enrique.

—Enrique no volverá a poner el pie en Estados Unidos después de que Underwood termine con él. Lo odia todo: la ciudad, el estado, los demócratas, los republicanos, los independientes, el aire puro, lo que se te ocurra. Es el pelmazo más grande del mundo. Se achispa un poco y puede oírsele a dos manzanas de distancia.

—Cálmate, Luther. Ya está hecho. Hablando de beber, no he tenido tiempo de comprar el vino. Tendrás que ir tú.

—No pienso abandonar la seguridad de mi hogar.

—Vas a hacerlo. Y no he visto el Frosty.

—No pienso poner el Frosty. Está decidido.

—Sí que vas a ponerlo.

El teléfono sonó de nuevo y Nora lo cogió.

«¿Quién podrá ser?», se dijo Luther. Ya no podía pasar nada peor.

—Blair —dijo Nora—. Hola, cariño.

—Dame el teléfono —empezó a murmurar Luther—. Los enviaré de vuelta a Perú.

—Estáis en Atlanta, estupendo —dijo Nora. Pausa—. Estamos cocinando, cariño, preparando la fiesta. —Pausa—. También nosotros estamos emocionados e impacientes. —Pausa—. Pues claro que estoy haciendo pastel de nata con caramelo, tu favorito. —Le dirigió a Luther una mirada de horror—. Sí, cariño, estaremos en el aeropuerto a las seis. Besos.

Luther miró su reloj. Las tres.

Ella colgó y dijo:

—Necesito dos libras de caramelo y un tarro de crema de merengue.

—Yo termino el árbol. Todavía necesita más adornos —dijo Luther—. No pienso enfrentarme con las multitudes.

Nora se mordió una uña durante un segundo y consideró la situación. Aquello significaba que se aproximaba un plan, seguramente con montones de detalles.

—Hagamos esto —empezó—. Terminaremos de decorar a las cuatro. ¿Cuánto se tardará con Frosty?

—Tres días.

—A las cuatro, yo echo la última carrera al centro y tú subes el Frosty al tejado. Mientras tanto, repasamos la agenda de teléfonos y llamamos a todo el mundo que conozcamos.

—No le digas a nadie que viene Underwood.

—¡Calla, Luther!

—Trucha ahumada con Mitch Underwood. Será la mejor fiesta de la ciudad.

Nora puso un CD de canciones navideñas de Sinatra y, durante veinte minutos, Luther colgó más adornos en el árbol de Trogdon mientras Nora colocaba velas y Santa Claus de cerámica y decoraba la repisa de la chimenea con acebo y muérdago de plástico. No se dijeron nada durante mucho tiempo. Por fin, Nora rompió el hielo con más instrucciones:

—Estas cajas pueden volver al desván.

De todas las cosas que Luther odiaba de las Navidades, posiblemente la tarea más detestada era subir y bajar cajas por la escalera retráctil del desván. Subir a pie hasta el segundo piso, encajar la escalera en el estrecho pasillo entre dos habitaciones, y reajustar la posición para poder izar la caja, que inevitablemente era demasiado grande, por la inestable escalera que llevaba a la trampilla del desván. Subir o bajar, daba lo mismo. Era un milagro que a lo largo de los años no hubiera sufrido heridas graves.

—Y después, empieza a subir el Frosty —ladró ella como un almirante.

Nora le insistió mucho al reverendo Zabriskie, y por fin este dijo que podría pasarse y estar media hora. Luther, a punta de pistola, llamó a su secretaria, Dox, y la atormentó hasta que ella accedió a comparecer unos pocos minutos. Dox había estado casada tres veces y por el momento estaba descasada, pero siempre tenía alguna clase de novio. Ellos dos, más el reverendo Zabriskie y señora, más el grupo de los Underwood, hacían un optimista total de ocho, si todos ellos convergían al mismo tiempo. Doce en total, con los Krank, Blair y Enrique.

La cifra casi hizo que Nora se echara a llorar de nuevo. Doce parecerían tres en su salón la noche de Nochebuena.

Llamó a sus dos tiendas de vinos favoritas. Una estaba cerrada, la otra cerraría dentro de media hora. A las cuatro, Nora partió soltando un chaparrón de instrucciones para Luther, que para entonces estaba pensando en acabarse el coñac escondido en el sótano.

16

Unos minutos después de que Nora saliera, sonó el teléfono. Luther lo cogió. A lo mejor era otra vez Blair. Le diría la verdad. Le haría entender lo desconsiderada, lo egoísta que era esa sorpresa de último minuto. Heriría sus sentimientos, pero ya lo superaría. Con una boda a la vista, iba a necesitar a sus padres más que nunca.

—¡Diga! —restalló.

—Luther, soy Mitch Underwood —dijo una voz atronadora, cuyo sonido hizo que a Luther le entraran ganas de meter la cabeza en el horno.

—Hola, Mitch.

—Feliz Navidad. Oye, mira, gracias por invitarnos y todo eso, pero no podemos haceros un hueco. Tenemos montones de invitaciones, ¿sabes?

Sí, claro, los Underwood estaban en la lista preferente de todo el mundo. La gente pedía a gritos las insufribles parrafadas de Mitch sobre el impuesto de propiedades y la distribución en distritos de la ciudad.

—Vaya, cómo lo siento, Mitch —dijo Luther—. Tal vez el año que viene.

—Claro, llámanos.

—Feliz Navidad, Mitch.

La concurrencia de doce quedaba reducida a ocho, y se aproximaban más deserciones. Antes de que Luther pudiera dar un paso, el teléfono estaba sonando de nuevo.

—Señor Krank, soy yo, Dox —dijo una voz forzada.

—Hola, Dox.

—Siento lo de su crucero y todo eso.

—Ya me lo habías dicho.

—Sí, mire, ha surgido algo. El tipo con el que estoy saliendo quería sorprenderme con una cena en el Tanner Hall. Champán, caviar y toda la pesca. Hizo la reserva hace un mes. No puedo decirle que no.

—Claro que no, Dox.

—Ha alquilado una limusina y todo. Es un encanto.

—Seguro que sí, Dox.

—No podemos ir a su casa, pero me encantaría ver a Blair.

Blair llevaba fuera un mes. Dox no la había visto en dos años.

—Se lo diré.

—Lo siento, señor Krank.

—No pasa nada.

Solo seis ya. Tres Kranks más Enrique y el reverendo Zabriskie y señora. Estuvo a punto de llamar a Nora para darle la mala noticia, pero ¿por qué molestarse? La pobre andaba por ahí devanándose los sesos. ¿Por qué hacerla llorar? ¿Por qué darle otra razón para ladrarle por su gran idea que había salido mal?

Luther estaba más cerca del coñac de lo que estaba dispuesto a admitir.

Spike Frohmeyer informó de todo lo que había visto y oído. Con cuarenta dólares en el bolsillo y un evanescente voto de silencio flotando por los alrededores, al principio vaciló en hablar. Pero en Hemlock nadie se quedaba callado. Tras un par de sondeos de su padre, Vic, lo soltó todo.

Informó de cómo le habían pagado para llevarse el árbol de casa de los Trogdon; de cómo había ayudado al señor Krank a instalarlo en su salón, y después a echarle encima adornos y luces; de que el señor Krank no paraba de escabullirse al teléfono y llamar a gente; de que había oído lo suficiente para saber que los Krank estaban preparando a última hora una fiesta de Nochebuena, pero que nadie quería ir. No podía decir el porqué de la fiesta, ni por qué se estaba organizando con tanta prisa, principalmente porque el señor Krank usaba el teléfono de la cocina y hablaba en voz baja. La señora Krank estaba haciendo compras y llamando cada diez minutos.

Las cosas estaban muy tensas en casa de los Krank, según Spike.

Vic llamó a Ned Becker, que ya había sido alertado por Walt Scheel, y al poco rato los tres estaban conferenciando por teléfono, con Walt y Ned manteniendo contacto visual con la casa de los Krank.

—Ella acaba de marcharse a toda prisa —informó Walt—. Nunca había visto a Nora conducir a esa velocidad.

—¿Dónde está Luther? —preguntó Frohmeyer.

—Sigue dentro —respondió Walt—. Parece que han

terminado con el árbol. Debo decir que me gustaba más como lo tenían los Trogdon.

—Algo está pasando —dijo Ned Becker.

Nora tenía una caja de vino en su carro de la compra, seis botellas de tinto y seis de blanco, aunque no sabía bien por qué estaba comprando tanto. ¿Quién exactamente iba a beberse todo aquello? Tal vez se lo bebiera ella. Además, había comprado del caro. Quería que Luther se consumiera cuando recibiera la factura. Todo aquel dinero que iban a ahorrar en Navidad, y mira en qué lío estaban metidos.

En la fachada de la tienda de vinos, un empleado estaba bajando las persianas y echando el cierre. El único cajero estaba metiendo prisa a los últimos clientes en cola. Había tres personas delante de Nora y una detrás. Su teléfono móvil sonó en el bolsillo del abrigo.

—Diga —medio susurró.

—Nora, soy Doug Zabriskie.

—Hola, padre —dijo ella, echándose a temblar. La voz del reverendo lo había delatado.

—Tenemos un pequeño problema por aquí —empezó él con tono triste—. El típico caos de Nochebuena, ya sabes, todos corriendo en diferentes direcciones. Y una tía de Beth, de Toledo, se ha presentado inesperadamente, lo que empeora las cosas. Me temo que será imposible que nos pasemos a ver a Blair esta noche.

Sonaba como si hiciera años que no había visto a Blair.

—Es una pena —consiguió decir Nora con solo un mínimo de compasión. Quería maldecir y llorar al mismo tiempo—. Otra vez será.

—Entonces ¿no hay problema?

—Ninguno, padre.

Se despidieron con felicitaciones y similares, y Nora se mordió el labio, que le temblaba. Pagó el vino, lo acarreó casi un kilómetro hasta el coche, gruñendo acerca de su marido a cada difícil paso del camino. Corrió hasta un Kroger, se abrió paso peleando con la multitud de la entrada y recorrió penosamente los pasillos en busca de caramelo.

Llamó a Luther, y nadie respondió. Más le valía estar en el tejado.

Se encontraron delante de la mantequilla de cacahuete, y los dos se vieron al mismo tiempo. Ella reconoció la mata de pelo rojo, la barba naranja y gris y las pequeñas gafas redondas y negras, pero no podía recordar el nombre. Él, en cambio, dijo «Felices Pascuas, Nora» inmediatamente.

—Lo mismo te digo —dijo ella con una rápida y cálida sonrisa. A su mujer le había pasado algo malo, o bien se había muerto de alguna enfermedad o bien se había largado con un hombre más joven. Se habían conocido unos años antes en un baile de gala, creía recordar. Después se enteró de lo de su mujer. ¿Cómo se llamaba? Puede que trabajara en la universidad. Iba bien vestido, con una chaqueta de lana debajo de una elegante gabardina.

—¿Cómo es que todavía andas por aquí? —preguntó él. Llevaba una cesta sin nada dentro.

—Cosas de última hora, ya sabes. ¿Y tú?

Le daba la impresión de que él no estaba haciendo nada

en absoluto, que había salido a unirse a las hordas solo para estar allí, que probablemente estaba solo.

¿Qué demonios le había pasado a su mujer?

No se veía anillo de boda.

—Comprando unas cosillas. Tienes comilona mañana, ¿eh? —preguntó él, mirando la mantequilla de cacahuete.

—En realidad, esta noche. Nuestra hija viene de Sudamérica y estamos montando una fiestecita rápida.

—¿Blair?

—Sí.

¡Conocía a Blair!

Lanzándose al precipicio, Nora dijo instintivamente:

—¿Por qué no vienes?

—¿Lo dices en serio?

—Pues claro, es una cosa informal. Mucha gente, mucha comida buena.

Pensó en la trucha ahumada y le entraron náuseas. Seguro que se acordaría del nombre en un instante.

—¿A qué hora? —preguntó él, visiblemente encantado.

—Cuanto antes, mejor. A eso de las siete.

Él miró su reloj.

—Faltan solo dos horas.

¡Dos horas! Nora llevaba reloj, pero viniendo de otro, la hora sonaba espantosa. ¡Dos horas!

—Bueno, tengo que darme prisa —dijo.

—Vivís en Hemlock —dijo él.

—Sí, el 1478.

¿Quién era aquel hombre? Nora se alejó corriendo, prácticamente rezando para que el nombre le llegara rugiendo de alguna parte. Encontró los caramelos, la crema de merengue y los moldes de hojaldre.

La cola rápida —diez artículos o menos— llegaba hasta la sección de alimentos congelados. Nora se unió a los demás, casi sin divisar a la cajera, no queriendo mirar el reloj, columpiándose al borde de la rendición completa y total.

17

Luther esperó todo lo que pudo, aunque no tenía ni un segundo que perder. La oscuridad caería rápidamente a las cinco y media, y en el frenesí del momento Luther había abrigado la loca idea de colgar al viejo Frosty bajo la protección de la oscuridad. No saldría bien, y él lo sabía, pero el pensamiento racional era difícil de retener.

Pasó unos momentos planeando la operación. Era imprescindible atacar por la parte de atrás de la casa: ni loco iba a permitir que Walt Scheel o Vic Frohmeyer o cualquier otro le viera en acción.

Con mucho esfuerzo, Luther sacó a Frosty del sótano sin que ninguno de los dos saliera herido, pero iba maldiciendo en voz alta para cuando llegaron al patio. Sacó a rastras la escalera del cobertizo del patio trasero. Hasta entonces, nadie le había visto, o al menos eso creía.

El tejado estaba un poco mojado, con alguna que otra placa de hielo. Y allí arriba hacía mucho más frío. Con una cuerda de nailon de seis milímetros atada alrededor de la cintura, Luther se arrastró hacia arriba, a cuatro patas y aterrorizado, sobre las tejas de pizarra hasta llegar a la cima. Se asomó por la arista del tejado y miró hacia abajo. Los Scheel estaban directamente enfrente, pero muy abajo.

Pasó la cuerda alrededor de la chimenea, y después fue bajando de espaldas centímetro a centímetro, hasta que pisó una placa de hielo y resbaló más de medio metro. Recuperando el equilibrio, hizo una pausa y dejó que su corazón empezara a funcionar de nuevo. Miró hacia abajo, aterrado. Si por desgracia se caía, volaría brevemente en caída libre y aterrizaría entre los muebles metálicos de jardín, instalados sobre ladrillo duro. La muerte no sería instantánea, no señor. Sufriría y, si no se mataba, se rompería el cuello o tendría una lesión cerebral.

Qué ridiculez más absoluta. Un hombre de cincuenta y cuatro años ocupado en aquellos juegos.

Lo más horrorosamente difícil era volver a la escalera desde arriba, cosa que consiguió clavando las uñas en las tejas mientras descolgaba primero un pie y luego el otro por encima del canalón. De regreso en el suelo, respiró hondo y se felicitó por haber sobrevivido al primer viaje de ida y vuelta a la cima.

Frosty constaba de cuatro partes: una base ancha y redonda, una bola de nieve más pequeña, el tronco y la cabeza con su cara sonriente, su pipa de maíz y su chistera negra. Luther gruñó mientras montaba el maldito trasto, encajando una sección de plástico en otra. Atornilló la bombilla en la pieza central, enchufó el cable alargador de veinticinco metros, ató la cuerda de nailon alrededor de la cintura de Frosty, y lo colocó en posición para el ascenso.

Eran las cinco menos cuarto. Su hija y su flamante novio aterrizarían al cabo de una hora y quince minutos. Se tardaba veinte minutos en llegar al aeropuerto, y más tiempo para aparcar, encontrar la puerta, andar, empujar y ser empujado.

Luther quería rendirse y empezar a beber.

Pero tiró de la cuerda alrededor de la chimenea, y Frosty empezó a subir. Luther trepó con él, escalera arriba, lo hizo pasar por encima del canalón y a la zona de tejas. Luther tiraba, y Frosty se movía un poco. Eran solo dieciocho kilos de plástico duro, pero pronto empezó a parecer mucho más pesado. Poco a poco, los dos fueron subiendo, uno al lado del otro, Luther a cuatro patas y Frosty avanzando centímetro a centímetro sobre la espalda.

Había una insinuación de oscuridad, pero ningún verdadero alivio de los cielos. En cuanto el pequeño equipo llegara a lo alto del tejado, Luther quedaría expuesto. Se vería obligado a ponerse en pie mientras forcejeaba con el muñeco y lo ataba a la parte delantera de la chimenea. Y una vez instalado, iluminado con la bombilla de doscientos watios, el viejo Frosty se uniría a sus cuarenta y un compañeros y todo Hemlock sabría que Luther se había rendido. Así que se detuvo un momento, justo por debajo de la arista, e intentó convencerse de que no le importaba lo que sus vecinos pensaran o dijeran. Agarró con fuerza la cuerda que sujetaba a Frosty, se tumbó de espaldas, miró las nubes que tenía encima y se dio cuenta de que estaba sudando y congelándose. Se reirían y se mofarían, y durante años contarían la historia de cómo Luther se saltó la Navidad, y sería el blanco de todas las burlas, pero ¿qué importaba en realidad?

Blair estaría feliz. Enrique vería una auténtica Navidad americana. Nora era de esperar que se apaciguaría.

Y entonces pensó en el *Island Princess* zarpando al día siguiente de Miami con dos pasajeros menos, rumbo a las playas y las islas que Luther había anhelado.

Le entraron ganas de vomitar.

Walt Scheel había estado en la cocina, donde Bev se encontraba terminando un pastel, y, ya por la fuerza de la costumbre, se acercó a su ventana delantera para observar la casa de los Krank. Al principio no vio nada; después se quedó petrificado. Asomando por encima del tejado, junto a la chimenea, estaba Luther. Después, poco a poco, Walt vio la chistera negra de Frosty y a continuación su cara.

—¡Bev! —gritó.

Luther se arrastró hacia arriba, echó una rápida mirada alrededor como si fuera un ladrón, se dio ánimos apoyado en la chimenea y empezó a tirar de Frosty.

—¿Estás de broma? —dijo Bev, secándose las manos con un paño de cocina. Walt estaba riendo demasiado fuerte para decir nada. Agarró el teléfono para llamar a Frohmeyer y a Becker.

Cuando Frosty estuvo bien a la vista, Luther lo pasó con cuidado a la parte delantera de la chimenea, hasta el punto donde quería instalarlo. Su plan era sujetarlo allí de algún modo durante unos segundos mientras pasaba una correa de lona de cinco centímetros de anchura alrededor de la ancha parte central para sujetarlo firmemente a la chimenea. Igual que el año anterior. Entonces había salido bien.

Vic Frohmeyer corrió a su sótano, donde sus hijos estaban viendo una película navideña.

—¡El señor Krank está poniendo su Frosty! Id a vigilar, pero quedaos en la acera.

El sótano se vació.

Había una placa de hielo en la parte delantera del tejado, a unos centímetros de la chimenea y prácticamente invisible para Luther. Con Frosty colocado pero no atado, y mientras Luther se esforzaba para quitar la cuerda de nailon, estirar el cable eléctrico y pasar la correa de lona alrededor de la chimenea, y justo cuando iba a hacer el que tal vez era el movimiento más peligroso de toda la operación, oyó voces abajo. Y cuando se volvió para ver quién estaba mirando, pisó sin darse cuenta la placa de hielo justo debajo de la arista, y todo se cayó a la vez.

Frosty volcó y desapareció, cayendo por la parte delantera del tejado sin nada que lo sujetara: ni cuerdas, ni cables, ni correas; nada. Luther estaba justo detrás de él, pero por suerte había logrado enredarse con todo. Deslizándose de cabeza por el empinado tejado, y gritando lo bastante fuerte para que Walt y Bev lo oyeran desde dentro de su casa, Luther cayó como una avalancha hacia la muerte segura.

Más adelante rememoraría, para sí mismo, por supuesto, que recordaba claramente la caída. Evidentemente, había más hielo por delante del tejado que por detrás, y en cuanto lo descubrió se sintió como un disco de hockey. Recordaba bien cómo cayó del tejado, de cabeza, con la calzada de hormigón esperándolo. Y recordaba haber oído, pero no visto, cómo se estrellaba Frosty cerca de él. Después, el intenso dolor cuando su caída se detuvo: dolor alrededor de los tobillos, cuando la cuerda y el cable alargador se tensaron bruscamente, dándole al pobre Luther un tirón como un latigazo, pero sin duda salvándole la vida.

Ver a Luther caer del tejado deslizándose sobre el vientre, aparentemente en persecución de su rodante Frosty, fue más de lo que Walt Scheel podía aguantar. El ataque de risa hizo que se doblara por la cintura. Bev miraba horrorizada.

—¡Calla, Walt! ¡Haz algo! —le gritó, mientras Luther quedaba colgado y girando muy por encima del hormigón, con los pies no muy lejos del canalón.

Luther oscilaba y giraba sin poderlo evitar por encima de su calzada de entrada. Tras dar unas cuantas vueltas, el cable y la cuerda quedaron bien trenzados, y el giro se detuvo. Sintió mareos y cerró los ojos un segundo. ¿Cómo vomitas cuando estás cabeza abajo?

Walt marcó el número de Urgencias. Dijo que un hombre había resultado herido e incluso podía estar muriéndose en Hemlock, y que enviaran un equipo de rescate inmediatamente. Después salió corriendo de su casa y cruzó al otro lado de la calle, donde los chicos Frohmeyer estaban congregándose debajo de Luther. Vic Frohmeyer se acercaba corriendo desde dos casas más allá, y todo el clan Becker estaba saliendo de la casa de al lado.

—Pobre Frosty —oyó Luther que decía uno de los niños.

Me cago en el pobre Frosty, quiso decir.

La cuerda de nailon le estaba cortando la carne alrededor de los tobillos. No se atrevía a moverse porque parecía que la cuerda había cedido un poquito. Todavía estaba a dos metros y medio del suelo, y una caída sería desastrosa. Cabeza abajo, Luther intentó respirar y recuperar la capacidad de pensar. Oyó el vozarrón de Vic Frohmeyer. ¿Alguien me haría el favor de pegarme un tiro?

—Luther, ¿estás bien? —preguntó Frohmeyer.

—Estupendamente, Vic. Gracias. ¿Y tú?

Luther empezó a girar de nuevo, poco a poco, rotando muy despacio al viento. Después giró en dirección contraria, hacia la calle, y quedó cara a cara con sus vecinos, las últimas personas que deseaba ver.

—Traed una escalera —dijo alguien.

—¿Es un cordón eléctrico lo que tiene alrededor de los pies? —preguntó otro.

—¿Dónde está sujeta la cuerda? —preguntó un tercero. Todas las voces eran conocidas, pero Luther no podía distinguirlas.

—He llamado a Urgencias —oyó decir a Walt Scheel.

—Gracias, Walt —dijo Luther en voz alta, en dirección a la gente. Pero de nuevo estaba girando hacia la casa.

—Creo que Frosty ha muerto —murmuró un chaval a otro.

Allí colgado, esperando la muerte, esperando que la cuerda resbalara y se soltara del todo, dejando que se estrellase, Luther odió la Navidad con pasión renovada. Aquello era lo que estaba haciéndole la Navidad.

Todo por culpa de la Navidad.

Y odió también a sus vecinos, a todos ellos, tanto los jóvenes como los viejos. Se estaban juntando ya docenas en su calzada de entrada, podía oírlos llegar, y mientras giraba lentamente pudo verlos correr por la calle para contemplar el espectáculo.

El cable y la cuerda chasquearon en alguna parte por encima de él, después cedieron, y Luther cayó otros quince centímetros antes de sentir el tirón y detenerse de nuevo.

El público soltó un grito sofocado; seguro que algunos de ellos querían aplaudir.

Frohmeyer estaba ladrando órdenes como si manejara situaciones como aquella todos los días. Llegaron dos escaleras, que fueron colocadas una a cada lado de Luther. Ned Becker gritó desde el patio trasero que había encontrado lo que estaba sujetando el cable eléctrico y la cuerda de nailon, y que según su muy experta opinión no iba a aguantar mucho más.

—¿Enchufaste el alargador? —preguntó Frohmeyer.

—No —respondió Luther.

—Vamos a bajarte, ¿vale?

—Sí, por favor.

Frohmeyer estaba subiendo por una escalera, Ned Becker por la otra. Luther se percató de que Swade Kerr estaba allí abajo, y también Ralph Brixley y John Galdy, y algunos de los chicos mayores de la calle.

Mi vida está en sus manos, se dijo Luther, y cerró los ojos. Pesaba ochenta kilos, habiendo perdido cinco para el crucero, y lo que más le preocupaba era cómo exactamente pensaban desenredarlo y después bajarlo hasta el suelo. Sus rescatadores eran hombres maduros que, si alguna vez sudaban, lo hacían en un campo de golf. Desde luego, no eran levantadores de peso. Swade Kerr era un enclenque vegetariano que apenas podía levantar un periódico, y allí estaba, debajo de Luther, con la intención de bajarlo al suelo.

—¿Cuál es el plan, Vic? —preguntó Luther. Era difícil hablar colgado de los pies. La gravedad le estaba llevando toda la sangre a la cabeza, y esta le palpitaba.

Vic vaciló. Lo cierto era que no tenían un plan.

Lo que Luther no podía ver era que justo debajo de él había un grupo de hombres para detener la caída.

Pero sí que pudo oír dos cosas. Primero, alguien dijo: «¡Ahí viene Nora!».

Y después oyó sirenas.

18

La multitud se apartó para abrir paso a la ambulancia. Esta se detuvo a tres metros de las escaleras, del hombre que colgaba de los pies y de sus aspirantes a rescatadores. Dos enfermeros y un bombero saltaron de ella, retiraron las escaleras, echaron atrás a Frohmeyer y sus tropas, y después uno de ellos colocó con cuidado la ambulancia debajo del señor Krank.

—Luther, ¿qué haces ahí arriba? —chilló Nora, metiéndose entre la multitud.

—¿A ti qué te parece? —respondió él chillando, y la cabeza le palpitó con más fuerza.

—¿Estás bien?

—De maravilla.

Los enfermeros y el bombero treparon al techo de la ambulancia, levantaron rápidamente a Luther unos centímetros, desenredaron el cable y la cuerda, y lo bajaron con cuidado. Unas cuantas personas aplaudieron, pero la mayoría parecía indiferente.

Los enfermeros comprobaron sus constantes vitales y después lo bajaron al suelo y lo llevaron a la parte de atrás de la ambulancia, que tenía las puertas abiertas. Luther tenía los pies entumecidos y no podía ponerse en pie. Estaba temblando, de modo que un enfermero lo tapó con dos mantas de color naranja. Allí sentado en la parte trasera de la ambulancia, mirando hacia la calle, intentando no fijarse en la turba de mirones que sin duda estaban recreándose en su humillación, Luther solo podía sentir alivio. Su caída de cabeza desde el tejado había sido breve pero horrorosa. Tenía suerte de estar consciente en aquel momento.

Déjalos que miren. Déjalos que fisguen. Le dolía demasiado para que le importara.

Nora había llegado para examinarlo. Reconoció al bombero Kistler y al enfermero Kendall como los dos simpáticos jóvenes que habían pasado por su casa dos semanas antes vendiendo pasteles de frutas para su colecta navideña. Les dio las gracias por rescatar a su marido.

—¿Quiere ir al hospital? —preguntó Kendall.

—Solo por precaución —dijo Kistler.

—No, gracias —dijo Luther, con los dientes castañeteando—. No tengo nada roto. —Pero en aquel momento sentía que lo tenía todo roto.

Un coche de policía llegó a toda velocidad y aparcó en la calle, por supuesto con las luces relampagueando. Treen y Salino saltaron de él y avanzaron contoneándose entre la muchedumbre para observar cómo iban las cosas.

Frohmeyer, Becker, Kerr, Scheel, Brixley, Kropp, Galdy, Bellington..., todos se colocaron alrededor de Luther y Nora. También Spike estaba en medio de todos. Mientras Luther permanecía sentado, atendiendo sus heridas y respondiendo a preguntas banales de los muchachos de uniforme, prácticamente todo Hemlock se apretujaba para ver mejor.

Cuando Salino captó el meollo de la historia, dijo en voz bastante alta:

—¿Frosty? Creía que ustedes no iban a tener Navidad este año, señor Krank. Primero se lleva un árbol prestado, y ahora esto.

—¿Qué pasa, Luther? —voceó Frohmeyer.

Era una pregunta pública. La respuesta era para todos.

Luther miró a Nora y se dio cuenta de que ella no iba a decir palabra. Las explicaciones le correspondían a él.

—Blair viene a casa por Navidad —soltó, frotándose el tobillo izquierdo.

—Blair viene a casa —repitió Frohmeyer en voz alta, y la noticia se extendió rápidamente como una ola entre la multitud. Independientemente de lo que sintieran por Luther en aquel momento, los vecinos adoraban a Blair. La habían visto crecer, la despidieron cuando fue a la universidad y esperaban que volviera cada verano. Había hecho de canguro para casi todos los niños de Hemlock más jóvenes que ella. Como era hija única, Blair había tratado a los demás niños como si fueran familia. Era la hermana mayor de todos.

—Y trae a su novio —añadió Luther, y aquello también se difundió entre los mirones.

—¿Quién es Blair? —preguntó Salino, como si fuera un inspector de homicidios buscando pistas.

—Es mi hija —explicó Luther a los no informados—. Se marchó hace un mes a Perú, con el Peace Corps, y no iba a volver en un año, o eso creíamos. Ha llamado hoy a eso de las once. Estaba en Miami, viene a casa para darnos una sorpresa de Navidad y se trae un novio, una especie de doctor que ha conocido allí abajo.

Nora se acercó a él y le cogió del brazo.

—¿Y espera ver un árbol de Navidad? —dijo Frohmeyer.

—Sí.

—¿Y un Frosty?

—Por supuesto.

—¿Y qué hay de la fiesta de Nochebuena de los Krank?

—También eso.

La multitud se acercó más mientras Frohmeyer analizaba la situación.

—¿A qué hora llega? —preguntó.

—El avión llega a las seis.

—¡A las seis!

La gente miró sus relojes. Luther se frotó el otro tobillo. Ahora sentía hormigueo en los pies, una buena señal. La sangre estaba fluyendo de nuevo por ellos.

Vic Frohmeyer dio un paso atrás y miró las caras de sus vecinos. Carraspeó, levantó la barbilla y empezó:

—Muy bien, amigos, este es el plan: vamos a tener una fiesta en casa de los Krank, por Navidad y de bienvenida a Blair. Los que podáis, dejad lo que estéis haciendo y apuntaos. Nora, ¿tienes un pavo?

—No —dijo ella, avergonzada—. Trucha ahumada.

—¿Trucha ahumada?

—Es lo único que pude encontrar.

Varias de las mujeres susurraron «¿Trucha ahumada?».

—¿Quién tiene un pavo? —preguntó Frohmeyer.

—Nosotros tenemos dos —dijo Jude Becker—. Los dos en el horno.

—Estupendo —dijo Frohmeyer—. Cliff, lleva un equipo a casa de Brixley y trae su Frosty. Coge también algunas luces, las pondremos aquí en los arbustos de Luther. Que todo el mundo vaya a su casa, se cambie de ropa, coja toda la comida extra que encuentre y vuelva aquí en media hora.

Miró a Salino y a Treen y dijo:

—Vosotros, muchachos, al aeropuerto.

—¿Para qué? —preguntó Salino.

—Hay que traer a Blair a casa.

—No sé si podemos hacer eso.

—¿Quieres que llame al jefe?

Treen y Salino se dirigieron a su coche. Los vecinos empezaron a dispersarse, ahora que tenían instrucciones de Frohmeyer. Luther y Nora miraron cómo se desperdigaban calle arriba y calle abajo, todos moviéndose deprisa, todos con un propósito.

Nora miró a Luther con lágrimas en los ojos, y a Luther también le entraron ganas de llorar. Tenía los tobillos en carne viva.

Frohmeyer dijo:

—¿Cuántos invitados vienen a la fiesta?

—Ay, no lo sé —dijo Nora, mirando la calle vacía.

—No tantos como crees —le dijo Luther—. Los Underwood llamaron para cancelar. Y también Dox.

—Y también el padre Zabriskie —dijo Nora.

—¿No hablarás de Mitch Underwood? —inquirió Frohmeyer.

—Sí, pero no viene.

Menuda fiestecita patética, pensó Frohmeyer.

—A ver, ¿cuántos invitados necesitáis?

—Todos estáis invitados —dijo Luther—. La calle entera.

—Sí, toda la calle —añadió Nora.

Frohmeyer miró a Kistler y preguntó:

—¿Cuántos hombres hay en el cuartelillo esta noche?

—Ocho.

—¿Pueden venir también los bomberos y los enfermeros? —le preguntó Vic a Nora.

—Sí, están todos invitados —dijo ella.

—Y también la policía —añadió Luther.

—Será una multitud.

—Una multitud estaría muy bien, ¿verdad, Luther?

Él se arropó más con las mantas y dijo:

—Sí, a Blair le gustaría una multitud.

—¿Qué tal unos cantores de villancicos? —preguntó Frohmeyer.

—Sería estupendo —dijo Nora.

Ayudaron a Luther a entrar en casa y cuando llegó a la cocina ya caminaba solo, aunque con una fuerte cojera. Kendall le dejó un bastón de plástico que Luther juró no usar.

Cuando estuvieron a solas en el salón, con el árbol de Trogdon, Luther y Nora compartieron unos pocos momentos de tranquilidad delante del fuego. Hablaron de Blair. Intentaron en vano analizar la cuestión de un novio; después, la de un prometido; después, la de un yerno.

Estaban conmovidos hasta lo indecible por la unión de sus vecinos. En ningún momento se mencionó el crucero.

Nora miró su reloj y dijo que tenía que prepararse.

—Ojalá hubiera tenido una cámara —dijo, saliendo de la habitación—. Tú allí, colgado de los pies, con media ciudad mirando. —Y se fue riendo durante todo el camino hasta la alcoba.

19

Blair se disgustó un poquito al ver que sus padres no estaban esperando en la puerta de llegada. Sí, había avisado con poco tiempo, y el aeropuerto estaba lleno de gente, y seguro que estaban muy atareados con la fiesta, pero al fin y al cabo ella estaba llevando a casa al amor de su vida. Pero no dijo nada mientras ella y Enrique caminaban a paso ligero por el pasillo, cogidos del brazo, zancada a zancada, consiguiendo de algún modo zigzaguear elegantemente entre la multitud sin dejar de estar pegados por las caderas y mirándose solo el uno al otro.

Tampoco había nadie para recibirlos en la recogida de equipajes. Pero cuando arrastraban sus bolsas hacia la salida, Blair vio dos policías con un letrero garabateado a mano que decía «Blair y Enriqe».

Habían escrito mal Enrique, pero en aquel momento ¿qué importaba? Los llamó y ellos entraron en acción, recogiendo su equipaje y guiándolos a través de la masa de gente. Mientras salían, el agente Salino les explicó que el jefe había enviado una escolta policial para Blair y Enrique. ¡Bienvenidos a casa!

—La fiesta está esperando —dijo mientras metían sus cosas en el maletero de un coche de policía, aparcado ilegalmente en la acera, delante de los taxis. Un segundo coche de policía estaba aparcado delante del primero.

Como buen sudamericano, Enrique era más que reacio a meterse voluntariamente en la parte trasera de un coche de policía. Miró nervioso a su alrededor, al bullicio del tráfico peatonal, los taxis y los autobuses, parachoques pegados unos a otros, gente gritando, guardias tocando silbatos. La idea de escapar de un salto cruzó por su mente. Después, sus ojos volvieron al bello rostro de la chica que amaba.

—Vamos —dijo ella, y entraron en el coche. Él la habría seguido a cualquier parte.

Con las luces relampagueando, los dos coches salieron disparados a través del tráfico, obligando a los otros a apartarse.

—¿Esto es así siempre? —susurró Enrique.

—Nunca —respondió Blair. Qué detallazo, pensaba.

El agente Treen conducía con furia. El agente Salino sonreía, pensando en Luther Krank colgado de los pies con todo el vecindario mirándole. Pero no diría ni una palabra. Blair nunca sabría la verdad, según las órdenes de Vic Frohmeyer, que por fin había llegado hasta el alcalde y había hablado también con el jefe de policía.

A medida que avanzaban hacia los suburbios, el tráfico fue despejándose y empezó a nevar un poco.

—Esto va a llegar a diez centímetros —dijo Salino por encima del hombro—. ¿Nieva en Perú?

—En las montañas —dijo Enrique—. Pero yo vivo en Lima, la capital.

—Un primo mío fue a México una vez —dijo Salino, pero no pasó de ahí porque no tenía nada más que decir. El primo casi se muere, etcétera, pero Salino decidió sabiamente no aventurarse en historias de horror del tercer mundo.

Blair estaba decidida a mostrarse superprotectora con su novio y su país, así que intervino rápidamente con un:

—¿Ha nevado desde Acción de Gracias?

El tema del tiempo era el terreno más común de todos.

—Tuvimos cinco centímetros hace una semana, ¿no? —dijo Salino, mirando a Treen, quien conducía con los nudillos blancos de tanto intentar, con éxito, mantener su coche a menos de un metro y medio del coche patrulla que iba delante.

—Diez centímetros —dijo Treen con autoridad.

—No, fueron cinco, ¿no? —protestó Salino.

—Diez —dijo Treen, negando con la cabeza, lo cual irritó a Salino.

Por fin se pusieron de acuerdo en siete centímetros y medio de nieve, mientras Blair y Enrique se achuchaban en la parte trasera y miraban las hileras de casas primorosamente decoradas.

—Ya casi llegamos —dijo ella en voz baja—. Esa es Stanton, y la siguiente es Hemlock.

Spike estaba de vigía. Encendió dos veces la luz verde de su linterna de señales de los boy scouts, y el escenario quedó dispuesto.

Luther entró cojeando lastimeramente en el cuarto de baño, donde Nora estaba aplicando los toques finales a su cara.

Durante veinte minutos había experimentado desesperadamente con todo lo que había podido encontrar: bases, polvos, reflejos. Su piel maravillosamente bronceada estaba oculta del cuello para abajo, y estaba empeñada en aclararse la cara.

Pero no estaba saliendo bien.

—Pareces una muerta de hambre —dijo Luther con sinceridad. Los polvos volaban alrededor de la cabeza de Nora.

Luther sentía demasiado dolor para preocuparse por su bronceado. Por indicación de Nora, se había vestido de negro: chaqueta de lana negra sobre un jersey negro de cuello de cisne y pantalones gris oscuro. En opinión de Nora, cuanto más oscura fuera la ropa, más clara parecería la piel. La chaqueta solo se la había puesto una vez, y por suerte era una que le había regalado Blair por su cumpleaños. El jersey no se lo había puesto nunca, y ni él ni Nora podían recordar de dónde había salido.

Se sentía como un lugarteniente de la Mafia.

—Déjalo ya —dijo mientras ella manipulaba frascos y parecía dispuesta a tirarle uno a él.

—Ni hablar —replicó ella—. Blair no sabrá lo del crucero, ¿entiendes, Luther?

—Pues no le hables del crucero. Dile que tu médico te recomendó broncearte para... ¿qué vitamina es?

—La D, del sol, no de una camilla bronceadora. Otra idea estúpida, Luther.

—Dile que hemos tenido un tiempo muy soleado para la época, que hemos estado fuera mucho tiempo, trabajando en los macizos de flores.

—Esas son tus mentiras, y no van a colar. No está ciega. Mirará tus macizos de flores y verá que no los has tocado en meses.

—Puf.

—¿Alguna otra idea brillante?

—¿Que estamos anticipándonos a las vacaciones de primavera y compramos un kit de bronceado?

—Muy gracioso.

Pasó rozándolo, encolerizada, dejando a su paso una estela de polvos. Luther iba cojeando por el pasillo con su nuevo bastón de plástico, hacia la muchedumbre que llenaba su salón, cuando oyó que alguien gritaba:

—¡Ya vienen!

Debido a que la correa de lona no funcionaba bien, Ralph Brixley estaba todavía colocando su Frosty delante de la chimenea de Luther Krank, en el tejado de Luther, en medio del frío y la nieve, cuando vio la luz verde al final de la calle. «¡Ya vienen!», gritó hacia el patio de los Krank, donde su ayudante, Judd Bellington, esperaba junto a la escalera intentando arreglar la correa.

Desde su elevado punto de vista, Ralph contemplaba con cierto orgullo (y cierto fastidio, porque hacía frío allí arriba, y cada vez más) cómo sus vecinos formaban un círculo con las carretas para ayudar a uno de los suyos, aunque fuera Luther Krank.

Un gran coro, bajo la temblorosa dirección de la señora Ellen Mulholland, estaba congregado junto a la calzada de entrada y empezó a cantar «Jingle Bells». Linda Galdy tenía un juego de campanillas, y su banda, reclutada a toda prisa, empezó a tocarlas acompañando al coro. El jardín delantero estaba repleto de niños del vecindario, todos esperando ansiosos a Blair y a su nuevo y misterioso novio.

Cuando los coches de policía frenaron delante de la casa de los Krank, estalló un griterío de salutación de los niños de Hemlock.

—Dios mío —dijo Blair—. Cuánta gente.

Había un camión de bomberos aparcado delante de la casa de los Becker, y una gran ambulancia verde lima delante de la de los Trogdon, y al oír la señal todas sus luces empezaron a brillar para dar la bienvenida a Blair. Cuando los coches de policía se detuvieron en la calzada, Vic Frohmeyer en persona abrió la puerta principal.

—Feliz Navidad, Blair —tronó.

En un instante, ella y Enrique estaban en el jardín delantero rodeados por docenas de vecinos mientras el coro aullaba. Blair presentó a Enrique, que parecía un poco aturdido por la recepción. Subieron los escalones de entrada y pasaron al salón, donde estalló otra ovación. A petición de Nora, cuatro bomberos y tres policías estaban hombro con hombro delante del árbol, procurando taparlo lo más posible de la vista de Blair.

Luther y Nora esperaban nerviosos en su dormitorio para tener una reunión privada con su hija y una tranquila presentación de Enrique.

—¿Y si no nos gusta? —murmuró Luther, sentado en el borde de la cama y frotándose los tobillos. La fiesta se hacía más ruidosa al fondo del pasillo.

—Calla, Luther. Hemos criado a una chica lista. —Nora se estaba aplicando una última capa de polvos en las mejillas.

—Pero si acaban de conocerse.

—Un flechazo.

—Eso es imposible.

—Puede que tengas razón. Yo tardé tres años en ver tu potencial.

Se abrió la puerta y Blair entró corriendo. Nora y Luther la miraron a ella primero, pero enseguida dirigieron la vista más allá para ver cómo era Enrique.

¡No era nada moreno! ¡Por lo menos dos tonos más claro que el propio Luther!

Abrazaron y estrujaron a su hija como si hubiera estado años ausente, y después, con gran alivio, conocieron a su futuro yerno.

—Qué buen aspecto tenéis —dijo Blair, mirándolos de arriba abajo.

Nora llevaba un voluminoso jersey navideño; era la primera vez en la historia que quería parecer más gruesa. Luther parecía un gigoló maduro.

—Hemos estado vigilando el peso —dijo él, todavía estrechando efusivamente la mano de Enrique.

—Y has tomado el sol —le dijo Blair a Luther.

—Sí, bueno, es que hemos tenido un tiempo muy soleado para la época. Me tosté un poco en los macizos de flores la semana pasada.

—Vamos a la fiesta —dijo Nora.

—No podemos hacer esperar a la gente —añadió Luther, encabezando la marcha.

—¿A que es guapo? —le susurró Blair a su madre. Enrique estaba solo un paso por delante.

—Guapísimo —dijo Nora con orgullo.

—¿Por qué cojea papá?

—Se hizo daño en un pie. Está bien.

El salón estaba repleto de gente, una concurrencia algo diferente, notó Blair, aunque no le dio importancia. Faltaba la mayoría de los habituales. Estaban casi todos los vecinos. Y no acababa de entender por qué se había invitado a la policía y los bomberos.

Había algunos regalos para Enrique, que él abrió en el centro del salón. Ned Becker hizo pasar una camisa roja de golf de un club de campo de la ciudad. A John Galdy le acababan de regalar un libro de fotos de las tabernas rurales de la zona. Su mujer lo había envuelto de nuevo y se lo encasquetaron a Enrique, que estaba conmovido casi hasta llorar. Los bomberos le regalaron dos pasteles de frutas, y él confesó que en Perú no tenían delicias como aquella. La Asociación Benéfica de la Policía le regaló un calendario.

—Habla inglés perfectamente —le susurró Nora a Blair.

—Mejor que yo —susurró ella en respuesta.

—¿No habías dicho que nunca había estado en Estados Unidos?

—Estudió en Londres.

—Ah. —Y la nota de Enrique subió otro punto. Guapo, estudios en el extranjero, médico—. ¿Dónde lo conociste?

—En Lima, durante la orientación.

Estalló una ovación cuando Enrique abrió una caja alargada y sacó una lámpara de lava, que había sido aportada por los Bellington.

Cuando terminaron los regalos, Luther anunció «A comer», y la muchedumbre pasó a la cocina, donde la mesa estaba cubierta por las sobras de Hemlock, aunque la comida se había arreglado y vuelto a arreglar hasta parecer original y festiva. Incluso la trucha ahumada de Nora había sido aderezada por Jessica Brixley, posiblemente la mejor cocinera de la calle.

Los cantores de villancicos estaban helados y hartos de la nieve, aunque la nevada no era intensa. Oyeron el anuncio de comida y entraron en la casa, junto con la banda de campanilleros de Linda Galdy.

El hombre de la barba anaranjada y gris que Nora se había encontrado ante la mantequilla de cacahuete en Kroger surgió de la nada y parecía conocer a todo el mundo, aunque nadie parecía conocerlo a él. Nora le dio la bienvenida y lo vigiló con atención, y por fin le oyó presentarse como Marty Nosecuantos. A Marty le encantaban las reuniones y no tardó en ponerse a tono. Arrinconó a Enrique entre los pasteles y el helado e inmediatamente los dos entablaron una larga conversación, en español, nada menos.

—¿Quién es ese? —preguntó Luther al pasar cojeando.

—Marty —le susurró Nora, como si lo conociera desde hacía años.

Cuando todos hubieron comido, fueron volviendo al salón, donde rugía el fuego de la chimenea. Los niños cantaron dos villancicos, y a continuación Marty se adelantó con una guitarra. También Enrique se adelantó y explicó que a él y a su nuevo amigo les gustaría cantar un par de villancicos tradicionales peruanos.

Marty atacó la guitarra con furia y el dúo comenzó con buena armonía. Las palabras eran desconocidas para el público, pero el mensaje estaba claro: la Navidad era una época de alegría y paz en todo el mundo.

—Y encima, canta —le susurró Nora a Blair, que estaba radiante.

Entre canción y canción, Marty explicó que había trabajado en Perú y que cantar aquellas canciones le hacía añorar el país. Enrique cogió la guitarra, rasgueó unos acordes y empezó a cantar suavemente otro villancico.

Luther se apoyó en la repisa de la chimenea, alternando un pie con otro y sonriendo animosamente, aunque lo que quería era tumbarse y dormir para siempre. Miró las caras de sus vecinos, todos cautivados por la música. Estaban todos allí, menos los Trogdon.

Y menos Walt y Bev Scheel.

20

Después de otro villancico extranjero, y durante una estruendosa salva de aplausos para el dúo de Enrique y Marty, Luther se deslizó sin ser visto por la cocina y a través de la oscuridad de su garaje. Vestido con ropa de nieve —abrigo, gorro de lana, bufanda, botas y guantes—, arrastró los pies ayudado por el bastón de plástico que había jurado no usar, procurando no gesticular de dolor a cada paso, aunque tenía los dos tobillos hinchados y en carne viva.

Llevaba el bastón en la mano derecha y un sobre grande en la izquierda La nevada todavía era ligera, pero el suelo estaba cubierto.

Al llegar a la acera, se volvió y miró la muchedumbre que había en su salón. La casa llena. Un árbol que mejoraba con la distancia. Y en lo alto, un Frosty prestado.

Hemlock estaba en silencio. El camión de bomberos, la ambulancia y los coches de policía se habían ido, gracias a Dios. Luther miró al este y al oeste y no vio ni una sola persona moviéndose. Casi todos estaban en su casa, cantando a coro, rescatándolo de un episodio que sin duda sería recordado como una de sus mayores rarezas.

La casa de los Scheel estaba bien iluminada por fuera, pero casi completamente a oscuras por dentro. Luther subió a duras penas por su calzada, con las botas rozándole las heridas y el bastón haciendo posible toda la aventura. En el porche tocó el timbre y miró de nuevo hacia su casa, situada justo enfrente. Ralph Brixley y Judd Bellington aparecieron por una esquina, colgando apresuradamente luces de los arbustos de Luther.

Cerró los ojos un segundo, meneó la cabeza y se miró los pies.

Walt Scheel abrió la puerta con un amable «Vaya, Feliz Navidad, Luther».

—Felices Pascuas —dijo Luther con una sonrisa sincera.

—Te estás perdiendo tu fiesta.

—Solo tengo un momento, Walt. ¿Puedo pasar?

—Pues claro.

Luther entró cojeando en el vestíbulo y se situó sobre un felpudo. Sus botas habían acumulado nieve y no quería dejar huellas.

—¿Me das tu abrigo? —preguntó Walt. Algo se estaba guisando en la cocina, y Luther lo interpretó como una buena señal.

—No, gracias. ¿Cómo está Bev?

—Está pasando un buen día, gracias. Íbamos a salir a ver a Blair, pero empezó a nevar. ¿Cómo es el novio?

—Un chico muy agradable —dijo Luther.

Bev Scheel llegó desde el comedor y dijo hola y feliz Navidad. Llevaba un jersey rojo de fiesta y parecía igual, por lo que Luther pudo apreciar. El rumor decía que su médico le había dado seis meses.

—Una caída bastante mala —dijo Walt con una sonrisa.

—Podría haber sido peor —dijo Luther sonriendo y procurando disfrutar de ser el blanco de las bromas. No le demos más importancia al asunto, se dijo.

Carraspeó y dijo:

—Mirad, Blair va a estar aquí diez días, así que no nos vamos de crucero. A Nora y a mí nos gustaría que fuerais vosotros. —Levantó un poco el sobre, como saludándolos.

Su reacción se retrasó mientras intercambiaban miradas e intentaban pensar. Estaban aturdidos y durante un buen rato no pudieron hablar. Así que Luther siguió adelante:

—El avión sale mañana a mediodía. Tendréis que llegar antes para que cambien los nombres y todo eso, una pequeña molestia, pero vale la pena. Ya he llamado esta tarde a mi agencia de viajes. Diez días en el Caribe, playas, islas, de todo. Serán unas vacaciones de ensueño.

Walt negó con la cabeza, pero solo un poquito. Bev tenía los ojos húmedos. Ninguno de los dos pudo hablar hasta que Walt consiguió decir con poca convicción:

—No podemos aceptarlo, Luther. No estaría bien.

—No seas tonto. No contraté seguro, así que si no vais se desaprovecha todo el paquete.

Bev miró a Walt, que ya estaba mirándola a ella, y cuando sus ojos chocaron Luther lo captó. Era una locura, pero ¿por qué no?

—No sé si mi médico lo permitirá —dijo ella débilmente.

—Tengo pendiente ese contrato con Lexxon —murmuró Walt para sí mismo, rascándose la cabeza.

—Y prometimos a los Short que iríamos en Fin de Año —añadió Bev, como reflexionando.

—Benny dijo que a lo mejor venía. —Benny era su hijo mayor, que no había pasado por casa en años.

—¿Y qué hacemos con el gato? —preguntó Bev.

Luther los dejó titubear y resistirse, y cuando agotaron sus endebles excusas, dijo:

—Es un regalo que os hacemos, un regalo de Navidad sincero y de corazón, sin compromisos, para dos personas que en este momento están teniendo dificultades para encontrar una excusa. Cogedlo y ya está, ¿vale?

—No sé si tengo ropa adecuada —dijo Bev, como era de esperar. A lo cual Walt replicó:

—No seas ridícula.

Con la resistencia desmoronándose, Luther entró a matar. Le enseñó el sobre a Walt.

—Está todo aquí: billetes de avión, pasajes para el crucero, folletos, todo, incluyendo el número de teléfono de la agencia de viajes.

—¿Cuánto cuesta, Luther? Si vamos, tenemos que pagártelo.

—Es un simple regalo, Walt. No cuesta nada, no se paga nada. No lo compliques.

Walt comprendía, pero su orgullo se interponía.

—Tendremos que discutirlo cuando volvamos.

Ya estaba. Ya habían ido y habían vuelto.

—Pues ya hablaremos entonces.

—¿Y qué pasa con el gato? —preguntó Bev.

Walt se pellizcó la barbilla, pensando muy serio, y dijo:

—Sí, es un verdadero problema. Demasiado tarde para llamar a la perrera.

Con misterioso sentido de la oportunidad, un enorme y

peludo gato negro entró en el vestíbulo, se frotó contra la pierna izquierda de Walt y le echó una larga mirada a Luther.

—No podemos dejarlo así como así —estaba diciendo Bev.

—No, no podemos —dijo Walt.

Luther odiaba a los gatos.

—Podríamos preguntarle a Jude Becker —dijo Bev.

—No hay problema. Yo cuidaré de él —dijo Luther, tragando saliva, sabiendo perfectamente que la tarea le tocaría a Nora.

—¿Estás seguro? —preguntó Walt, casi demasiado rápido.

—Por supuesto.

El gato echó otra mirada a Luther y se escabulló. El sentimiento era mutuo.

Los adioses llevaron mucho más tiempo que los holas, y cuando Luther abrazó a Bev pensó que esta iba a romperse. Bajo el abultado jersey había una mujer frágil y doliente. Las lágrimas le llegaban hasta la mitad de las mejillas.

—Llamaré a Nora —susurró—. Gracias.

También el viejo y endurecido Walt tenía los ojos húmedos. En los escalones de entrada, durante su último apretón de manos, dijo.

—Esto significa mucho, Luther. Gracias.

Cuando los Scheel estuvieron de nuevo encerrados dentro, Luther emprendió el camino a casa. Librado ya de la carga del voluminoso sobre, habiéndose desprendido de sus caros billetes y sus gruesos folletos, liberado de todo el desenfreno contenido en su interior, sus pasos eran algo más ligeros. Y lleno de la satisfacción que da hacer el regalo perfecto, Luther caminaba erguido y orgulloso, sin apenas cojear.

Se detuvo en la calle y miró por encima de su hombro. La casa de los Scheel, oscura como una cueva unos minutos antes, ahora estaba viva, con luces encendiéndose arriba y abajo. Pasarían toda la noche haciendo el equipaje, pensó Luther.

Una puerta se abrió en la acera de enfrente y la familia Galdy hizo una ruidosa salida del salón de los Krank. Con ellos escaparon risas y música que resonaron por el aire de Hemlock. La fiesta daba pocas señales de disolverse.

Allí de pie al borde de la calle, con una ligera nieve acumulándose en su gorro y su bufanda de lana, mirando su casa recién decorada con casi todo el vecindario apretujado dentro, Luther hizo una pausa para contar sus bendiciones. Blair estaba en casa y había llevado con ella a un joven muy simpático, guapo y educado que, sin la menor duda, estaba loco por ella. Y que en aquel momento era prácticamente el alma de la fiesta, junto con Marty Comosellame.

El propio Luther tenía suerte de estar de pie, en lugar de estar apaciblemente tumbado sobre un tablón en la Funeraria Franklin o atado a una cama en la UCI del Hospital de Misericordia, con tubos por todas partes. Todavía le horrorizaba pensar en la caída por el tejado cabeza abajo. Mucha suerte, sí, señor.

Bendecido con amigos y vecinos dispuestos a sacrificar sus planes de Nochebuena para rescatarlo.

Alzó la mirada hacia su chimenea, desde donde le miraba el Frosty de los Brixley. Cara redonda y sonriente, sombrero de copa, pipa de mazorca de maíz. A través de la nevisca Luther creyó vislumbrar un guiño del muñeco de nieve.

Muerto de hambre como siempre, Luther sintió una repentina ansia de trucha ahumada. Echó a andar a través de la nieve. «Me comeré también un pastel de frutas», se prometió.

Saltarse la Navidad. Qué idea más ridícula.

Tal vez el año siguiente.